SYLVIE LOUIS

Le journal d'Alice

Bienvenue en 6e B!

DOMINIQUE ET COMPAGNIE

Coucou, mon beau, mon formidable, mon merveilleux journal! En rentrant de l'école, je n'avais qu'une idée en tête : grimper dans ma chambre pour te raconter ma rentrée scolaire! C'était sans compter sur la curiosité de ma mère qui voulait tout savoir, et sur Cannelle qui me faisait des yeux doux pour que j'aille la promener (j'ai craqué). Bref, il est 16 h 39 et me voici enfin! Tout a commencé à 7 h, ce matin, par un retentissant DRIIING…

Vendredi 27 août

J'ai tendu le bras pour faire taire mon réveille-matin. PAF! Je m'apprêtais à replonger dans le sommeil quand Caroline a claironné:
– Debout, Alice! C'est la rentrée!
Toujours aussi BING! BANG! BOUM!, ma sœur… D'ailleurs, pour souligner le fait qu'elle entame aujourd'hui sa 3e année, elle s'est mise à sauter sur son lit. Biwmmm! Biwmmm! Biwmmm! Plus précisément au bout de son lit, pour ne pas piétiner ses précieux cochons en peluche. Notre chienne s'est étirée en bââââââillant. J'ai bâillé moi aussi. Dur, dur, après deux mois de vacances, de recommencer à se lever tôt… Entre deux bonds, Caro s'est écriée:
– Viens, ça te réveillera!

Impossible de résister à une pareille invitation. Me hissant sur mon lit, j'ai commencé par sautiller avant de m'élancer de plus en plus haut. Les ressorts du sommier protestaient contre ce réveil brutal en grinçant affreusement: **crrrkgn, crrrkgn, crrrkgn**. Cannelle, qui s'était mise à sauter sur ses pattes arrière, rebondissait elle aussi. J'ai proposé à Caroline de me lancer Rosie.

– Pas à cette heure-ci, la pauvre! Je ne veux pas la réveiller en sursaut.

Comme tu le constates, cher journal, ma frangine se montre plus délicate envers sa truie en peluche qu'envers moi, sa grande sœur…

Maman a débarqué dans notre chambre.

– Biquette et Ciboulette, combien de fois vous ai-je répété que vos matelas ne sont pas des trampolines! Vous allez finir par les défoncer. Sans compter que vous risquez de vous blesser.

On est toutes deux descendues l'embrasser. Retrouvant sa bonne humeur, moumou nous a dit:

– Dès que vous êtes prêtes, les filles, rejoignez-nous en bas.

De la cuisine nous parvenait la délicieuse odeur du café matinal. Mais aussi d'autres effluves qui me mettaient l'eau à la bouche. Était-ce des muffins qui doraient dans le four? En effet, dans la famille Aubry, c'est une tradition: maman fête chaque rentrée scolaire en préparant un déjeuner spécial.

Caroline s'est habillée en triple vitesse. Ouvrant sa boîte à bijoux rose flash, elle en a sorti son pendentif en forme de papillon et l'a attaché autour de son cou. Sur son tee-shirt rose doux (rose cochon, elle dirait), il était du plus bel effet.

– Avec mon porte-bonheur, je me sens prête à affronter la journée ! a-t-elle déclaré avant de tirer soigneusement sa couette pour border ses 8 cochons.

Eh oui, Caro fait son lit depuis des années, ce qui réjouit moumou. Avec sa fille aînée (moi), par contre, elle a moins de chance. Du moins de ce point de vue-là.

Tu devines, cher journal, quel vêtement j'aurais aimé porter pour la rentrée ? Mon fabuleux tee-shirt de Lola Falbala. Mais Astrid Vermeulen (alias maman) m'interdit de « m'exhiber dans ce truc-qui-s'arrête-au-dessus-du-nombril ». Alors, j'ai enfilé ma mini-jupe blanche et mon tee-shirt BFF. Après avoir mis les boucles d'oreilles que Jade m'a offertes pour ma fête, je me suis rendue dans la salle de bain en déclamant, comme la reine et marâtre de Blanche-Neige : « Miroir, miroir, suis-je la plus belle ? » Oups ! Quelle tête !!! Jamais on n'aurait cru que j'étais allée chez la coiffeuse, hier… Pas étonnant, après tous ces sauts ! À l'aide de ma brosse, j'ai discipliné mes cheveux et j'ai (presque) réussi à leur redonner du « corps », comme dirait Cindy. Voilà qui était mieux. Alors, je me suis fait un **grand** ☺ avant de rejoindre le reste de la famille dans la cuisine.

– Coucou, Zouzou ! Bonjour, mamie ! Allô, papa !
– Bonjour, ma cocotte !
– Salut, Puce !
– Ayïïï ! a lancé Zoé depuis sa chaise haute.

C'est comme ça qu'elle m'appelle depuis quelques jours. Parce que, pour elle, *Alice* est encore trop difficile à prononcer. Normal, elle a 11 mois. Maman a glissé une crêpe dans mon assiette déjà garnie de framboises et de bleuets. Mamie m'a passé le sirop d'érable. Pendant que je dégustais ce déjeuner royal, Caroline me houspillait :

Mmmm... C'est bon !

– Dépêche-toi ! Je t'attends dehors.

Celle-là, il faut toujours qu'elle donne des ordres à tout le monde...

Je suis sortie avec Cannelle. Caroline m'attendait de pied ferme à côté de son vélo. Son casque était vissé sur sa tête et son sac d'école bien ajusté sur son dos. Bref, elle était prête à démarrer au quart de tour.

– Tu en as mis du temps ! m'a-t-elle reproché. Mes amis m'attendent.
– Arrête de me presser comme ça ! Cannelle doit encore faire ses besoins.

Ma sœur a levé les yeux au ciel et a marmonné quelque chose que je n'ai pas compris. Tant pis (ou probablement tant mieux !).

Deux minutes plus tard, j'ai fait entrer ma chienne à l'intérieur de la maison et lui ai donné un bisou sur la tête.
– À tout à l'heure, Cannelle.

– WOUAF ! a-t-elle répondu, comme pour me souhaiter une bonne journée.

Mamie Juliette (qui portait Zoé sur sa hanche) et maman sont sorties avec moi sur le perron. Elles ont fermé la porte pour éviter que Cannelle ne nous suive jusqu'à l'école. Prenant un ton solennel, moumou a déclaré :

– Mes filles qui entrent en 6e et en 3e... Je suis fière de vous !

Et, plus bas, elle s'est adressée juste à moi :

– Et toi, mon Alice, à présent, tu es...

J'étais quoi ?

– Tu es..., a répété ma mère qui, à travers les brumes de son cerveau distrait, était à la recherche des mots qui exprimeraient sa pensée.

Moi, j'attendais que ses neurones se connectent pour savoir qui j'étais. Son visage s'est éclairé.

– Tu es une grande de grande !

Elle avait raison ! C'est exactement comme ça que je me sentais ce matin.

– Allez, Alice, tu viens ou quoi ?! s'est énervée Caro.

Après être allée chercher mon rutilant vélo bleu dans la cour, je l'ai enfourché.

– Attendez que je vous prenne en photo ! s'est écrié papa en sortant de la maison.

Caro et moi, on a fait *cheeese*. CLIC !

On s'éloignait déjà quand j'ai entendu maman crier :

– Soyez prudentes !

On aurait dit que ma sœur et moi, on allait faire la traversée du Canada. Il faut reconnaître que c'était la première fois qu'on se rendait à l'école à bicyclette. Je préfère m'abstenir de tout commentaire concernant les recommandations faites par moumou durant le déjeuner, cher journal… Il faut se montrer indulgent envers les parents. Chaque « 1re fois » de leurs « petits trésors » est considérée comme un événement hyyyper important. Tout à l'heure, c'est tout juste si maman est parvenue à retenir ses larmes, comme si c'était la dernière fois qu'elle voyait ses filles adorées (alors qu'on a seulement trois intersections tranquilles à traverser).

En moins de coups de pédales qu'il n'en faut pour le dire, on est arrivées à destination (pas à Vancouver mais à l'école). Après le mur de béton couvert de graffitis, on a tourné à gauche puis longé la grille. On a installé nos vélos dans les supports prévus à cet effet, accroché nos cadenas et enlevé nos casques. J'ai tâté mes cheveux. Ils étaient tout plats. Zut !!! J'aurais dû penser à apporter ma brosse.

Surplombant l'entrée de la cour, une banderole a attiré mon regard.

École des Érables :
100 ans, ça se fête en GRAND !

Le **tic-tic-tic-tic-tic** qui me suivait, puis me dépassait, aurait dû me mettre la puce à l'oreille. Mais dans le brouhaha, je n'y avais pas porté attention. Caro s'est écriée, tout sourire:
– *Hello, Ms. Fattal!*

Oupsie! Je me suis dissimulée derrière le costaud Stanley.
– *Good morning, Caroline!* a répondu la prof d'anglais à ma sœur. *How are you?*
– *I'm fine, thank you! My holidays are... were... very good.*
– *And your english is very good too, my dear,* l'a complimentée madame Fattal, qui semblait ravie de retrouver un de ses chouchous.

Chaque fois que je croise la prof d'anglais, c'est plus fort que moi, je me sens coupable! Comme si elle me prenait sur le fait. Je sais que c'est stupide, mais c'est comme ça. Ça doit être un réflexe tatoué dans mon cerveau. Heureusement, Cruella ne semblait pas m'avoir aperçue. Mais je me doutais que je ne perdais rien pour attendre...

Caro avait repéré ses amies près de l'escalier.
– Bye, Alice, m'a-t-elle lancé avant de s'éloigner à grands pas.

Jessica, Béatrice, Nour et Amalia se sont précipitées à sa rencontre en pépiant comme des poussins dans un poulailler. (Enfin, des poussins géants!) Assis sur une marche, Jimmy lui a jeté un regard furtif. C'est vrai que ma sœur et son amoureux ne s'étaient pas vus depuis la fin juillet. Ça devait rendre le beau Jimmy timide!

Je me suis dirigée vers l'érable. Son feuillage vert remuait imperceptiblement. On aurait dit que l'arbre respirait. Et qu'après avoir passé deux mois paisibles, il était heureux de voir l'école s'animer à nouveau. Ça m'a fait plaisir de le retrouver, ce géant bienveillant, qui règne discrètement sur notre cour de récré. J'ai déposé mon sac contre son tronc. En me relevant, mes yeux sont tombés sur le cœur percé d'une flèche qui ornait l'écorce : K aime A. Mon cœur s'était mis à battre plus fort. Était-ce Karim, finalement, qui l'avait gravé à mon attention, le jour de la Saint-Valentin ? J'aurais dû le lui demander. Ce serait tellement romantique si ce message m'était adressé. Pendant un instant, j'ai eu un espoir fou. J'ai regardé autour de moi. La cour se remplissait à vue d'œil. Oh, Karim franchissait la grille !!! Mais non, c'était Sam. Je me suis sermonnée : « Voyons, Alice Aubry, tu prends tes désirs pour des réalités ! Comment veux-tu que Karim soit là puisqu'il vit à Beyrouth, maintenant. » Comme pour m'aider à me faire une raison, une idée m'est alors venue : ce cœur gravé serait mon secret à moi. (Mais je te le confie, cher journal !)

Bon, il était temps de revenir sur terre pour m'occuper de choses pratico-pratiques. Par exemple, dans quelle classe j'allais me trouver. Je me dirigeais vers le mur de listes devant lesquelles s'agglutinaient les élèves quand quelqu'un a caché mes yeux avec ses mains.
– C'est qui ? a questionné une voix de fille avec un léger accent anglophone.
– Audrey !
– Exact. Allô, Alice ! Sais-tu si on est encore dans la même classe ?

– Je m'en allais de ce pas découvrir notre destinée… du moins pour la prochaine année.
– J'ai rêvé de la rentrée, cette nuit. Et devine qui était notre prof ?!
Sans attendre ma réponse, Audrey a continué :
– Monsieur Gauthier ! Comme mes rêves se réalisent souvent, mon espoir est remonté en flèche. Je croise les doigts !

J'ai immédiatement repéré mon nom sur la liste des 6e B. Pas difficile ! Avec un nom de famille commençant par A, je suis toujours la première.

6e année A : classe de madame Pescador	**6e année B :** classe de madame Robinson
Ilhan Batur	Alice Aubry
Magalie Bélanger	Eduardo Castillo
Coralie Brien-Valois	Violette Comeau-Ferreira
Antoine Gaudet	Patrick Drolet
Simon Hétu-Ouellette	Gigi Foster
Angelica Jolivet	Catherine Frontenac
Petrus Koopman-Vallée	Kelly-Ann Garaud
Mathis Lafontaine	Stanley Hippolyte
Khadija Mahfouz	Hugo Lacombe
Éléonore Marquis	Jade Lambert-Chicoine
Chloé Miville-Deschênes	Marie-Ève Poirier-Letendre
Sam Nafisi	Catherine Provencher
Billie Pelletier-Leblanc	Africa Seydi
Brianne Pelletier-Leblanc	Emma Shapiro
Mila Tardivel	Bohumil Topolanek
Barbara Witold	Jonathan Vadeboncœur
	Audrey Yeretsian

À côté de moi, Audrey se tordait les mains.

– Comment est-ce possible ?! J'étais persuadée qu'on aurait monsieur Gauthier…

Raté : Julien Gauthier, lui, enseignera désormais aux 5e A. À retenir :

se méfier des prédictions d'Audrey, elles ne sont pas infaillibles.

Et mon vœu d'hier soir ne s'est pas réalisé… snif.

De plus, nous ne ferons pas non plus partie des élèves de madame Pescador, que tout le monde adore. Nous sommes dans la classe de madame Robinson. Je n'ai rien de particulier *contre* elle, mais rien *pour* elle non plus. En fait, elle m'intimide avec ses lunettes rouges. Mais ce qui me dérange encore plus, c'est de devoir supporter Gigi Foster une année supplémentaire ! ☠☠☠ Pfff… Il faut croire que c'est le côté sombre de mon destin. ☹ Par contre, Marie-Ève, Africa, les 2 Catherine, Jade et Audrey sont aussi en 6e B ! Ça, c'est le côté soleil ! ☺

– Salut, les filles ! a lancé Bohumil.

Avant les vacances, on avait la même taille, lui et moi. Maintenant, je le dépasse. Je lui ai dit qu'il était avec nous. Il a scruté les deux listes de 6e année.

– C'est bizarre, le nom de Karim n'est nulle part. Monsieur Rivet a dû oublier de l'indiquer.

J'ai soupiré :

– Karim se trouve à 9 345 km d'ici…

– Il n'est pas encore rentré du Liban ?! Il prolonge ses vacances jusqu'à la fête du Travail ?
– Tu n'y es pas. Il ne reviendra pas, a déclaré Audrey d'un air fataliste.

Bohumil était médusé.
– Tu me niaises ?!
– Malheureusement pas. Ses parents ont décidé de s'installer à Beyrouth.

Pauvre Bohu. Il était abattu par la nouvelle. Comme je le comprenais ! Karim était son meilleur ami. Et depuis l'an dernier, ils formaient un trio complice avec Simon.

Africa est arrivée, suivie par Marie-Ève qui, elle aussi (sans qu'on se soit donné le mot), portait son tee-shirt BFF.
– Les filles, on est dans la même classe ! leur ai-je annoncé, surexcitée.

Portant sa main à son cœur et fermant les yeux comme si elle avait échappé à un danger mortel, ma meilleure amie s'est écriée :
– Fiouuu…
– Quel bonheur !!! a lancé Africa avant de nous serrer dans ses bras.

Puis, sortant son iPod, elle a photographié les listes des 6e pour son scrapbook. Bonne idée. Moi aussi, j'aurais dû penser à apporter mon iPod. Enfin, Afri m'a envoyé des photos en rentrant de l'école. Je les ai imprimées. C'est ainsi que j'ai pu coller les listes dans mon cahier orange !

Nos autres amies nous ont rejoints. Quelle efferves-cence ! On avait 1 001 choses à se raconter. Éléonore s'est approchée. Après l'avoir saluée, Catherine Frontenac (alias CF) lui a annoncé qu'elle n'était pas en 6e B.
– Ah, non ? a-t-elle répondu, vaguement inquiète (comme si on avait oublié de lui attribuer une place en classe).

Après avoir parcouru les listes des 6e, elle est revenue vers nous avec son air de marquise.
– Moi, on m'a mise en 6e A !

Voilà Simon qui arrivait. Passant sa main dans ses longs cheveux, Éléonore l'a interpellé :
– Bonjour, Simon ! On est tous les deux en 6e A !

Puis, elle s'est éloignée vers madame Pescador et les élèves qui l'entouraient.

Marie-Ève s'est rembrunie.
– Tu as entendu ça ! a-t-elle lancé. Miss Parfaite n'a pas perdu son air supérieur durant les vacances. Pour elle, c'est prestigieux d'être en A. Mais il s'agit juste d'un système de classification. Ça ne signifie absolument pas que les élèves de 6e A ou de 5e A sont meilleurs que ceux de B. Pourtant, Éléonore doit être persuadée que l'an dernier, lorsqu'elle est arrivée à l'école, si elle a atterri en 5e B, c'est que le directeur ne savait pas à qui il avait affaire. Et comme tout le monde a pu constater qu'elle était la meilleure (et là, Marie-Ève a levé les yeux au ciel), on l'a enfin placée dans une classe digne de ses capacités…
– Tu prends ça trop à cœur, a constaté Catherine Provencher. Éléonore a toujours aimé se vanter. Mais

tu sais que Bohumil est imbattable en maths. Et en français, Africa, Patrick et Alice sont au moins aussi bons qu'elle. Sans oublier le cours d'éduc où Jade, Gigi, Africa et Jonathan la battent à plate couture. Disons qu'Éléonore faisait partie des élèves qui avaient de très bonnes notes, l'an dernier. Mais je ne comprends pas pourquoi ça t'énerve tant.
– Tu as raison, a reconnu Marie-Ève. Dans le fond, c'est une excellente chose qu'elle se retrouve dans l'autre classe. Au moins, on aura la paix !
– Moi, je l'aime bien, Éléonore, a dit Audrey.
– Eh bien, pas moi ! a répliqué Marie-Ève.

Apercevant monsieur Gauthier, Jonathan, qui venait de se joindre à nous, s'est écrié :
– Bonjour, m'sieur ! Vous avez passé de bonnes vacances en Gaspésie ?
– Oui, excellentes. Merci, Jonathan. Et vous tous ?
– Des vacances cool mais trop courtes ! a répondu Catherine Frontenac. 
– Cet été, j'ai appris six nouveaux tours de magie dans le livre que vous m'aviez offert, a dit Africa.
Notre prof de l'an dernier avait l'air impressionné.
– Bravo, tu es persévérante !
– Dommage qu'on ne soit plus dans votre classe, a soupiré Audrey qui, décidément, semblait inconsolable.

Changeant de sujet, monsieur Gauthier nous a demandé si on avait vu les Perséides, il y a deux semaines.
– C'est quoi ? me suis-je informée.
– Un spectacle au rocher Percé ? a dit Patrick qui est le seul de la classe à être déjà allé en Gaspésie et à avoir vu (en vrai) le célèbre rocher dont monsieur Gauthier nous a vanté la beauté et montré des photos, l'an dernier.

L'enseignant a ri de bon cœur.
– Ha, ha, ce serait un excellent titre de spectacle « son et lumière » ! Je devrais proposer ton idée à l'Office de tourisme du Rocher-Percé. Mais non, les Perséides, ça s'écrit avec un *s*. Il s'agit d'une pluie d'étoiles filantes visible dans l'atmosphère terrestre, et plus particulièrement durant les nuits du 11 au 13 août. En fin de compte, les Perséides sont bien un spectacle. Un *show* gratuit offert par Dame Nature.

Catherine Provencher a expliqué que Catherine Frontenac et elle les avaient contemplées, les Perséides.
– On se trouvait dans les Laurentides et, le soir, l'obscurité était totale. Alors, on a bien pu les voir. Et vous avez raison, c'était magnifique.

La cloche a sonné.
– Bon, il faut que j'aille accueillir mes nouveaux élèves, a déclaré monsieur Gauthier. Bonne rentrée, les amis !

18 h 27. Mamie est venue m'avertir que le souper était prêt. J'étais tellement occupée à t'écrire, cher journal, que je n'avais pas réalisé à quel point j'avais faim. À +!

19 h 16. Ma mère fait la meilleure moussaka au monde ! (Enfin j'imagine, car je n'en ai jamais goûté d'autres que la sienne.) Cannelle est d'accord avec moi : je lui en ai servi à elle aussi et, moins de 5 secondes plus tard, son bol étincelait comme s'il sortait du lave-vaisselle ! OK, tu t'en balances de la moussaka, cher journal, et je ne te ferai pas patienter plus longtemps : voici la suite de ma première journée en 6e année.

Les murs de la cage d'escalier, que j'avais toujours connus bleu-gris, étaient vert pimpant. Devant nous, les 5e B suivaient monsieur Gauthier comme un troupeau docile. Ils se sont arrêtés au 2e étage. Nous, on a continué à monter. Le mythique 3e étage de l'école des Érables ! C'était à notre tour d'y passer une année ! En effet, là-haut, il n'y a que les deux classes de 6e année (qui sont, en passant, pas mal plus grandes que les autres), des casiers, les toilettes + le local d'informatique + deux locaux de rangement. Les élèves de madame Pescador discutaient devant les casiers. Madame Robinson a ouvert la porte voisine, mais moi, je suis d'abord passée aux toilettes.

Lorsque j'en suis sortie, Gigi Foster se trouvait au lavabo. Elle avait encore grandi pendant les vacances. Une vraie ado. Elle m'a demandé :
– Tu veux lancer une nouvelle mode ?
– Comment ça ?! ai-je répondu en considérant mon tee-shirt.

– Ben, la mode des cheveux ultra plats sur le dessus et ébouriffés sur les côtés. Si tu avais envie de te faire remarquer, tu as réussi ton coup. Mais je doute que ce look plaise à Karim.

Sur ce, elle est partie.

Mes cheveux aplatis par le casque, je les avais oubliés !

Gigi Foster (alias JJF) ne va pas, une fois de plus, m'embêter avec Karim ?! GRRR...

Elle ne sait pas encore que Karim ne passera pas l'année avec nous...

Je la déteste, cette fille !!!

Dès la rentrée, elle saisit la première occasion pour m'humilier !

Jetant un coup d'œil dans le miroir, j'ai constaté le dégât. Horreur absolue ! Je me suis donc « peignée » comme j'ai pu, avec mes doigts... L'arrivée de Billie, une des jumelles de 6e A, m'a interrompue. Je suis allée rejoindre les autres.

Notre nouvelle classe sentait la peinture neuve (un bleu joyeux). Je me suis assise à côté de Marie-Ève. En regardant madame Robinson ouvrir grand les fenêtres, j'ai

pensé que la classe était comme la Belle au bois dormant. Elle avait sommeillé pendant les vacances. Dans son cas, ce n'était pas le baiser d'un prince quelconque qui la tirait de sa léthargie, mais plutôt l'air frais qui entrait, le chant des oiseaux et nos voix qui résonnaient. La vie, quoi ! Notre enseignante a déclaré :
– Quel bel espace ! Au fond, nous installerons un grand coin lecture. Le directeur m'a alloué un budget pour acheter des coussins et remplacer les petites étagères par une bibliothèque digne de ce nom. Je la garnirai d'une centaine de livres neufs. À part ça, je vous souhaite la bienvenue en 6e B. J'espère que nous passerons une excellente année ensemble, à faire des tas de découvertes et d'apprentissages.

Patrick regardait Eduardo en levant les yeux au ciel. C'est vrai qu'après avoir eu monsieur Gauthier, ça faisait bizarre de retomber sur une prof plus traditionnelle. Jonathan s'est mis à se balancer sur sa chaise pendant que madame Robinson lisait la liste des noms :
– Alice Aubry.
– Ici.
– Eduardo Castillo.
– Oui !
– Violette Comeau-Ferreira.

Dans la première rangée à gauche, une nouvelle a levé la main. Elle a de grands yeux noisette, de jolies lunettes avec une fine monture violette (comme son nom !) et une tresse de cheveux châtains.

Lorsque madame Robinson a nommé « Emma Shapiro », personne ne s'est manifesté. L'enseignante nous a demandé :

– Vous n'avez pas vu cette élève dans la cour ?

En chœur, on a répondu :

– Nonnn.

Qui était cette mystérieuse inconnue ? Peut-être que cette Emmy, non, cette Emma avait décidé au dernier moment de s'inscrire dans une école différente ? Ou que, finalement, elle avait atterri dans l'autre 6e ?

La prof a repris :

– Bohumil Topolanek... Jonathan Vadeboncœur...

– **Ici** ! s'est écrié ce dernier en bondissant sur ses pieds.

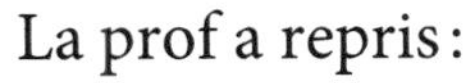

Son mouvement brusque avait fait tomber sa chaise... Bon, on retrouvait notre Jonathan l'ouragan ! Ramassant son siège, il s'est rassis. Madame Robinson s'est inquiétée.

– Tu ne t'es pas fait mal, au moins ?

– Non.

– Il a l'habitude, a commenté Patrick.

Pour la semaine prochaine, chacun d'entre nous doit préparer un exposé dans lequel on se présentera. En attendant, notre enseignante a voulu qu'on cite trois de nos qualités. Après Marie-Ève, c'est Hugo qui a pris la parole. (Ce rouquin tout frisé est nouveau dans notre classe mais pas dans l'école. C'est un des trois élèves qui viennent de la 5e A.) Hugo, donc, avait à peine annoncé qu'il était dynamique quand la porte s'est ouverte avec fracas. Une fille de notre âge a fait un pas avant de s'étaler de tout son long.

Re-Badaboum ! Tandis qu'elle se relevait, madame Robinson s'est informée, pour la deuxième fois en un quart d'heure :

– Tu ne t'es pas fait mal ?

– Pas du tout. Bonjour, madame. Je suis Emma Shapiro.

– Bonjour, Emma. Nous t'attendions.

Se tournant vers nous, la fille nous a lancé un petit signe de la main en disant :

– Saaaluuut ! avant de s'installer à la seule place libre, à côté de Gigi Foster.

Ce qui était incroyable, c'est qu'elle n'avait pas l'air gênée. Déjà, être nouvelle doit être très impressionnant. Mais en plus, arriver en retard et faire irruption de cette façon dans une classe inconnue, alors là ! Si ça m'était arrivé, je serais morte d'embarras.

Ce qui m'a frappée, chez Emma Shapiro, c'est… En fait, TOUT !

* Ses yeux bleu turquoise (je te jure, cher journal, je n'exagère pas !).
* Ses cheveux, eux aussi d'une couleur incroyable : auburn, avec des reflets cuivrés. Ils lui arrivent aux épaules et sont bouclés.
* Ce qu'elle portait : un tee-shirt brun, une jupe mauve en corolle et des baskets jaune canari aux lacets rouges.

Lorsque le tour d'Emma est arrivé, madame Robinson lui a demandé :

– Et toi, quelles sont tes trois principales qualités ?

D'une voix claire, la nouvelle a déclaré :

– Ponctuelle.

On l'a dévisagée d'un air surpris. Arriver avec une demi-heure de retard le jour de la rentrée scolaire, il faut déjà le faire. Mais avoir ensuite le culot de prétendre qu'on est ponctuelle, eh ben… Réalisant qu'on avait les yeux rivés sur elle, Emma a expliqué :

– D'habitude, je suis ponctuelle. J'étais d'ailleurs attendue pour le dernier jour de l'année. Le 31 décembre, en se réveillant, ma mère ne ressentait toujours aucune contraction. Alors, elle s'est dit qu'elle accoucherait l'année suivante. C'était sans compter sur ma ponctualité. Je suis née à minuit moins cinq.

Eduardo et Patrick se tordaient de rire. Certainement parce que cette fille avait parlé des contractions de sa mère. Ou plutôt de son absence de contractions. Imperturbable, madame Robinson a répondu à Emma :

– Naître à la date prévue n'arrive en moyenne qu'une fois sur 20. Par contre, tu ne sembles pas avoir gardé cette bonne habitude d'arriver à temps.

– C'est vrai que j'étais en retard ce matin, a reconnu Emma Shapiro, et je m'en excuse. Mais c'était à cause de Justin. Et aussi de Valentin. Non, plutôt de Benjamin.

Elle a ajouté :

– Ce sont mes grands frères.

À la récré, mes amies et moi, on s'est retrouvées sous l'érable. Jade nous a confié que ça lui avait fait drôle de venir seule à l'école ce matin, alors que pendant six ans, son père les avait reconduites toutes les deux, sa sœur Anaïs et elle.

– J'avais l'impression qu'Anaïs était restée à la maison parce qu'elle était malade. Mais non, elle était simplement partie en autobus vers sa nouvelle école.

– J'ai hâte d'y être, moi aussi, au secondaire ! a dit Audrey.

– Hier, mon frère Raphaël est également entré au secondaire, a raconté Catherine Provencher. Mais moi, je suis ravie de passer encore une année avec vous dans notre école.

– Je suis d'accord avec toi, a déclaré Marie-Ève. Tout de même, réalisez-vous que nous sommes en 6e ?! Il n'y a pas si longtemps, les élèves de 6e me semblaient si grands et impressionnants. Je dirais même supérieurs. Mais maintenant, c'est nous les grandes !

Catherine Frontenac a soupiré.

– Ça ne durera pas. Ce matin, ma sœur Laurie, qui est en 3e secondaire, a enfilé un tee-shirt rouge portant un logo « Ange gardien ». Je lui ai demandé ce que c'était. Elle m'a expliqué que les bénévoles de 3e et 4e secondaire, dont elle fait partie, porteraient ce chandail jusqu'à la fin septembre, pour que les bébés les repèrent facilement. « Les bébés ? me suis-je étonnée. Quels bébés ? » «Ben, les p'tits nouveaux de 1re secondaire, m'a-t-elle répondu. S'ils se perdent dans

l'école ou ne savent plus comment ouvrir leur cadenas, on a pour mission de leur venir en aide. »
– Tu as raison, a reconnu Africa. L'an prochain, bizarrement, même si on grimpe de niveau et qu'on aura un an de plus, on chutera de notre piédestal de grandes. Alors, en attendant, les filles, si on profitait à fond de notre année de gloire ?!

Elle avait raison, Afri ! Elle nous a tendu la main et on l'a imitée. Un peu comme si on faisait un « tope là » à 7. Quel bonheur de se retrouver !

Ce midi, en arrivant dans la cafétéria, on a eu la surprise de voir que ses murs d'un beige peu inspirant étaient désormais jaune soleil.
– Ma couleur préférée ! s'est exclamée Africa. C'est beau.
– Je parie qu'il y a du monsieur Gauthier là-dessous, a dit Bohumil. Il a dû convaincre le directeur qu'il était plus que temps de rafraîchir les murs de notre école.
– Monsieur Gauthier ? Pourquoi ? a demandé Kelly-Ann.
– Parce qu'il est le maître des couleurs, a répondu Bohu.

À ce moment-là, l'unique prof masculin de l'école (mais non le moindre !) est passé à côté de nous. L'interpellant, Catherine Provencher lui a demandé, à la blague :
– C'est vous qui avez coloré les murs d'un coup de baguette magique ?

Le prof a acquiescé :
– On ne peut rien te cacher. Mais la magie n'y est pour rien. J'ai proposé à monsieur Rivet de remplacer ces murs

ternes par des couleurs pleines de vie. Il m'a avoué que ça faisait des années qu'il en rêvait, lui aussi. À l'occasion du centenaire de l'école, il a enfin obtenu le budget nécessaire pour réaliser ce projet. Ces teintes toniques donneront de l'énergie à tous.

À cet instant, quelqu'un nous a bousculés. En cherchant à passer, Jonathan m'a écrasé le pied. Ouille ! Lui, il n'avait vraiment pas besoin de couleurs stimulantes…

20 h 37. Cher journal, maman est venue border Caro (et ses cochons). Elle m'a demandé d'aller me laver et de me coucher tout de suite après. Mais ne t'inquiète pas, je vais prendre la douche la plus rapide de toute l'histoire de l'humanité pour avoir le temps de te raconter la suite…

21 h 05. Enfin de retour après une pause dentifrice, savon, shampooing et bisou-bisou-bonne-nuit à mes parents et à mamie… Bien installée dans mon lit avec ma chienne à mes pieds, je vais continuer à t'écrire à la lueur de ma lampe de chevet.

Cet après-midi, lorsque j'ai rejoint ma sœur à la sortie de l'école, je lui ai demandé qui elle avait comme prof.

– Madame Popovic.

– Elle est cool, tu verras.

– C'est vrai. On a chanté une partie de la matinée.

Ça ne m'étonne pas. Madame Popovic ADORE chanter avec ses élèves. Tralala, tralala… ♪ ♫ ♪

À la maison, on a eu droit à un accueil triomphal. Par ma chienne.

– Bonjour, Cannelle ! On va aller se promener, promis. Mais d'abord, laisse-moi boire quelque chose de frais. Je crève de soif !

Dans la cuisine, mamie coupait des morceaux de prune pour Zoé qui était installée dans sa chaise haute tandis que maman tranchait une aubergine pour préparer sa fameuse moussaka.

Mamie nous a demandé comment s'était déroulée notre journée. Et ce que nous avions le plus apprécié aujourd'hui.

– Tout ! a déclaré ma sœur, enthousiaste.

Pour ma part, j'ai répondu :

– Retrouver mes amis.

Prenant un air important, Caro nous a annoncé :

– Je m'en vais lire mon manuel d'anglais dans le hamac.

Et elle est sortie.

Maman s'est informée :

– Qui as-tu comme enseignante, Alice ?

– Madame Robinson.

– Tu nous la décris ?

Après un instant de réflexion, j'ai lâché :

– Je dirais qu'elle est moyenne.

Ma mère a froncé les sourcils.

– Comment ça, moyenne ? Peux-tu être plus précise ?

– Elle n'est ni jeune, ni vieille. Ni grande, ni petite. Ni grosse, ni maigre. Ses cheveux ne sont ni longs, ni courts. Ni lisses, ni bouclés. Ni blonds, ni tout à fait châtains. Sa façon de s'habiller n'est pas vraiment vieux style, ni mode non plus. Elle n'est ni sévère, ni cool.

J'ai lâché un soupir.

– Madame Robinson, je pense que je vais l'aimer moyennement…

– Alice, si tu adoptes une attitude blasée vis-à-vis de ta nouvelle enseignante, c'est mal parti ! a répliqué maman. Laisse-lui une chance. Madame Robinson n'est peut-être pas 100 % cool, elle, mais…

J'ai interrompu ma mère :

– Comment sais-tu que monsieur Gauthier était 100 % cool ? !

– Un jour, tu m'as demandé d'acheter un tee-shirt de taille extralarge avec l'inscription 100 % cool. Pour lui offrir lors de l'échange de cadeaux de Noël à l'école.

Pour une fois, la mémoire de ma mère n'est pas déficiente. Elle n'est donc pas 100 % distraite (juste 99 %).

– Pour en revenir à madame Robinson, a repris maman, toi et tes amis la découvrirez au cours des semaines qui viennent.

On ne peut pas dire que j'ai hâte… Le visage de moumou s'est illuminé.

– Je te lance un défi, Biquette : trouver ***10*** points positifs à ta nouvelle enseignante !

Ma mère et ses points positifs… Certains jours, ça me tombe royalement sur les nerfs. Mais pour une fois, j'ai décidé de me prendre au jeu (sans savoir si je réussirais à trouver un seul point + mais quand même, j'allais essayer). J'ai réfléchi et TILT !, c'était parti.

– Point + n° 1: ma prof de 6e porte des lunettes qui, elles, ne sont pas moyennes. Elles sont rouges.

Je n'ai pu m'empêcher d'ajouter :

– Elle est sans doute moyennement myope.

– Laisse tomber la moyenne, Alice. Des lunettes rouges, ce n'est pas banal en effet. Bon, si tu me permets, j'ai le point positif n° 2 : j'aime son nom. Madame Robinson, je l'imagine vivant dans une hutte sur une île déserte, parmi les singes et les perroquets. Comme Robinson Crusoë. Connais-tu son prénom, à ton enseignante ?

– Fanny.

– Fanny ! Point positif n° 3 : c'est un de mes prénoms préférés. Lorsque j'étais enceinte de toi, il se trouvait sur ma liste.

– Ah oui ?!

– Mais papa l'a éliminé.

Fiouuu… Je n'aimerais pas m'appeler comme mon enseignante.

– J'ai trouvé le point + n° 4, ai-je poursuivi.

– C'est vrai ?! a dit maman d'un air réjoui.

Quand il s'agit de point positifs, on jurerait que moumou a 5 ans et non 38 !

– La prof veut installer un grand coin lecture.

Fanny Aubry… bof.
Fanny Robinson, ça sonne vraiment mieux.
Alice Aubry aussi, d'ailleurs.

– Ah, ça, c'est *très* positif! a approuvé mamie Juliette, qui est bibliothécaire.
– Par contre, ai-je repris, sa conception concernant les privilèges est moyenne. Lorsque Jonathan lui a demandé si on pouvait avoir un coffre aux trésors, madame Robinson a froncé les sourcils. « Comme dans la classe de m'sieur Gauthier, lui a expliqué Joey. Pour y mettre des galets et gagner des récompenses. » « Mes récompenses à moi sont toutes simples, a répondu la prof. Je vous lis un roman. » Patrick a soupiré : « C'est plate. » Heureusement, madame Robinson n'a pas entendu. Mais Pat a raison : comme récompense, il y a mieux.
– Je ne suis pas d'accord avec vous, a rétorqué maman. Se faire lire un bon bouquin est un vrai privilège !

Encore faudrait-il que les lectures de madame Robinson soient passionnantes. Ma mère a poursuivi :
– J'aimais quand mon institutrice de 2e année, madame Petermans, nous lisait des…

La coupant net, j'ai répliqué :
– D'abord, je ne suis pas en 2e. Ensuite, on n'est plus à ton époque. Aujourd'hui, les privilèges sont plus cool que ça.

5

Bon, j'ai trouvé un 5e point positif : contrairement à monsieur Gauthier, la prof nous laisse choisir notre place en classe.

J'ai eu beau réfléchir encore, je n'ai plus trouvé d'autres avantages à avoir madame Robinson comme enseignante.

Pour ton info, cher journal, cette année, on a le cours d'anglais le mardi en début d'après-midi. Voilà qui ne favorisera pas ma digestion…

Quant au cours d'éduc, il aura lieu le jeudi matin à la première heure.

Il est 21 h 27 et j'ai une crampe à la main tellement j'ai écrit. Avec ça, je n'ai pas eu le temps d'aller jeter un coup d'œil sur lola-falbala.com... Mais jamais mes parents ne me laisseraient aller à l'ordi à cette heure-ci. En ce jour J, je désire juste partager une dernière chose avec toi.

Quelques nouvelles de ceux de ma classe

* Les cheveux noirs d'Eduardo ont encore allongé. Il les porte en queue de cheval, maintenant.
* Patrick, lui, a toujours ses cheveux en brosse, mais plus courts. Et sans ses mèches blondes.
* Catherine Frontenac a plein de taches de rousseur en souvenir de l'été ensoleillé. Elle n'en a pas fait tout un cas. Il faut dire que Noah Robitaille trouvait ça *cute* (je suis d'accord avec lui). Le beau Noah a quitté notre école pour le secondaire. Je me demande si Catherine le voit encore.
* Jonathan arbore sur la joue une balafre qui lui donne l'air d'un pirate. Durant l'été, il a dû se casser la figure, le pauvre.

21 h 44. J'étais sur le point de m'endormir lorsqu'un embryon d'idée, microscopique, a germé dans mon cerveau. Puis il a grandi, grandi et émergé à ma conscience. N'était-ce pas à cette même date, l'an dernier, que j'avais inauguré mon journal intime ? Voulant en avoir le cœur net, j'ai ouvert ma lampe de chevet et j'ai pris le cahier rose en bas de ma table de chevet. Oui, c'était bien le 27 août, l'an dernier, que j'avais commencé à t'écrire, mon fidèle journal. Bref, bon 1er anniversaire ! Cette année encore, je compte partager avec toi ce qui se passe dans ma vie… Aïe, j'entends les marches de l'escalier craquer : mes parents montent ! J'éteins ma lampe de chevet.

Samedi 28 août

Vive le samedi matin !

Après avoir fait la grasse matinée, je me suis éééééétirée. Puis, j'ai écarté mes orteils en éventail. Cannelle dormait encore, ma parole ! Quant à Caroline, son lit était vide (enfin, façon de parler vu qu'elle le partage avec sa tribu de cochons en peluche).

Dans la cuisine, l'odeur du pain grillé m'a ouvert l'appétit. TILT ! Un 6e point positif concernant madame Robinson m'a sauté à l'esprit. Elle nous autorise à laisser nos collations sur le pupitre. Si on a faim, on n'a pas à attendre la récré.

La rentrée de la famille Aubry-Vermeulen

Papa est retourné au travail le 16 août.

Pour Caro et moi, la rentrée scolaire a eu lieu hier, le 27 août.

Zoé commence son intégration à la garderie le 30 août.

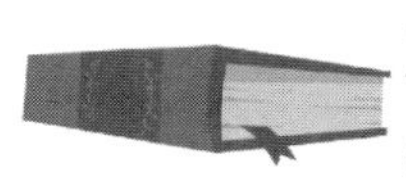

Maman reprend le chemin du boulot juste après la fête du Travail, le 7 septembre.

Mamie Juliette repart (snif…) vers Bruxelles le 11 septembre. Parce qu'elle recommence à travailler le 13.

En fin de matinée, Caro et moi, on est parties en compagnie de papa. Notre mission ? Trouver les derniers articles qui nous manquaient pour l'école (maman avait déjà fait le plein de cahiers en juillet, dès qu'elle avait reçu la liste du matériel scolaire envoyée par monsieur Rivet). Si tu voyais ma boîte à lunch, cher journal ! Avec des graffitis blancs sur un fond noir, elle est vraiment cool. Mes nouveaux crayons feutres aussi (que c'est beau, ce dégradé de couleurs !). Et j'ai pensé à toi : je t'ai acheté (enfin, c'est mon père qui a payé) quelques feuilles remplies d'émoticônes autocollantes. J'ai d'ailleurs commencé à les utiliser pour décorer les pages écrites hier. Pour en revenir au magasin, on attendait à la caisse quand Caro est arrivée avec un cahier à la main.
– Maman avait déjà acheté tous les cahiers, a fait papa.
– Je sais. Lui n'est pas pour la classe mais pour la maison.

Cet après-midi, Caroline s'est installée avec son cahier sur la table de la terrasse.
– Tu as déjà des devoirs ?! lui ai-je demandé.
– Non.
– Alors, tu écris quoi, sans indiscrétion ?
– Je raconte ma vie.
– Quoi ! Tu commences un journal intime ?! Les p'tites sœurs, ça veut toujours nous imiter…

Caro s'est défendue avec véhémence.
– Pas du tout ! Je n'ai *aucune* envie de tenir un journal, *moi* !
– Mais alors, c'est quoi ?

– Un roman.
– Sur ta vie ???!!!
– Exactement. Et maintenant, si ton interrogatoire de police est terminé, je vais pouvoir continuer !

Ma sœur a de grandes ambitions.

Dimanche 29 août

Après le déjeuner, papa a déclaré qu'il devait préparer sa réunion de demain avec Sabine Weissmuller. Maman, elle, a demandé :
– Qui m'accompagne à l'inauguration du *Big Bazar* ?

Le mot « bazar » a sonné désagréablement à mes oreilles. Il est vrai que j'avais promis à ma mère de ranger ma chambre. Mais pourquoi utilisait-elle un terme anglais (*big*), un ton jovial et une sorte de « blague » pour me rappeler à l'ordre ? Devant mon air perplexe, moumou a réalisé que je ne comprenais pas de quoi elle causait.
– Tu te souviens, Biquette, du supermarché qui a fermé ses portes l'an dernier ?
– Oui.
– Il a été transformé en magasin de seconde main. Cet été, tout le quartier a reçu une circulaire. Elle nous invitait, si nous voulions nous débarrasser d'objets encore en bon état, à venir les porter au *Big Bazar*. On pouvait même les appeler pour qu'ils viennent chercher des meubles. Bref, ce commerce ouvre ses portes aujourd'hui.
– Tu as besoin de quoi, moumou ?

– Rien en particulier. Cependant, je trouve le concept intéressant. Je suis curieuse de visiter ce magasin de l'avenir.

« De l'avenir ?! », ai-je pensé, voyant mal comment un ramassis de vieilleries poussiéreuses pouvait avoir quelque chose à voir avec le futur de l'humanité. Devant ma mine dubitative, maman a insisté :

– L'avenir réside dans une vie de quartier de qualité et dans le développement durable. Des objets ne servent plus dans une famille ? Ils seront utiles dans une autre.

Caroline l'a questionnée :

– C'est pour les pauvres, ce *Big Bazar* ?

– Pas spécialement. Ce magasin sera ouvert à tous. Car, même lorsqu'on a les moyens de se payer du neuf, il est plus écologique de réutiliser les choses usagées qui fonctionnent encore.

Heureusement, cher journal, que j'ai acheté ma nouvelle boîte à lunch hier ! J'imagine Astrid Vermeulen insistant pour m'en offrir une de seconde main à l'effigie de Dora l'exploratrice ! Horreur absolue ! Mamie a dit que le nom *Big Bazar* lui rappelait de bons souvenirs. *Michel Fugain et le BIG BAZAR*, c'était un groupe de sa jeunesse. Elle s'est mise à fredonner :

– *Attention, mesdames et messieurs, dans un instant on va commencer...*

– Tu nous chantais ça quand on était petites, Maude et moi, s'est rappelée maman.

– Te souviens-tu aussi de « *C'est la fête, la fête !* » ?

– Évidemment !

Toutes les deux ont entonné ce refrain à tue-tête. Heureusement que Maude n'était pas là. Car lorsque ma tante se prend pour une diva, ça finit par une pluie battante. Ajoutant à la cacophonie, Cannelle aboyait en cadence. Caroline s'est écriée :
– Si on ne veut pas rater l'inauguration, allons-y !

Devant le *Big Bazar*, il y avait beaucoup de monde. Des portes grandes ouvertes s'échappait une chanson des Tonic Boys. L'entrée était décorée avec des bouquets de ballons multicolores. On a été accueillies par Hugo, qui est dans ma classe.
– Salut, Alice ! Vous êtes 5? Voici 10 tickets.
– Bonjour, Hugo. Ils servent à quoi, ces tickets ? Et qu'est-ce que tu fais là ?!
– C'est ma mère qui a ouvert le *Big Bazar* avec un couple d'amis. Les coupons vous donnent droit à 10 $ de marchandise.

Les murs de l'entrepôt sont blancs. Au « rayon salon », il y avait plusieurs sofas et des fauteuils. Plus loin, on trouvait des tables et des chaises, des bibliothèques, des bureaux. Même si certains meubles étaient passés de mode, ils étaient propres. Des plantes décoraient le magasin. Après les Tonic Boys, on a entendu *Mr. Saxobeat* d'Alexandra Stan (Africa et moi, on adore !) puis *Divine*, de Lola Falbala. Bref, il y avait une ambiance du tonnerre.

Au *Big Bazar,* on paie un prix minime. Mais si y on apporte des objets, on reçoit des tickets. C'est comme de l'argent. Par exemple, un coussin en fausse fourrure vert pomme qui avait l'air neuf ne coûtait que 1 $. Je l'ai obtenu en donnant un ticket. Caro, elle, a déniché un présentoir pour 30 porte-clés (1 ticket), ainsi qu'un lot de 5 porte-clés (1 ticket) dont un en forme de bouteille de ketchup. Au fond du magasin, des centaines de vêtements étaient classés par taille sur des cintres. Mamie s'est choisi un tee-shirt avec le drapeau du Québec (1 ticket). Maman, elle, a trouvé une jolie robe courte, en tissu fluide noir imprimé de fleurs blanches (6 tickets).

Dehors, l'épluchette de blé d'Inde battait son plein. Pendant que je grignotais mon épi de maïs luisant de beurre fondu, j'entendais la mère d'Hugo expliquer à la mienne que bientôt, d'autres services s'ajouteraient au *Big Bazar*. Entre autres, une clinique de jouets qui proposera des jeux de seconde main. On a croisé Cindy, les Baldini, puis Catherine Provencher et ses parents.

Il faut reconnaître, cher journal, que le Big Bazar, c'est cool !

Sur le chemin du retour, maman s'est exclamée :
– Il me semble que j'ai oublié quelque chose !
– Ah oui ? a dit mamie. Quoi ?
– Justement, je ne m'en souviens plus...
– Vas-y, maman, t'es capabbb ! l'a encouragée Caro.

Comme frappée par une illumination, moumou s'est écriée :
– *Big Bazar !* Le bazar de ta chambre.

Aïe. Il faut le faire : Astrid Vermeulen adore le *Big Bazar*. Par contre, le *little* bazar de sa fille, elle ne le supporte pas (bon, je reconnais qu'il n'est pas si *little* que ça…). Plus moyen de s'esquiver. À la maison, j'ai commencé par ranger les volumes de mon journal intime au bas de ma table de chevet. De gauche à droite, le rose, le vert, le mauve, le bleu et le jaune qui sont déjà remplis. TILT ! Ces cinq précieux cahiers qui contiennent toute une année de ma vie, de la rentrée en 5e à la veille de la rentrée en 6e, c'est un peu comme la première saison de mon journal intime. Dans ce cas, toi, mon beau cahier orange, et le cahier rouge qui attend sagement son tour, vous constituerez le début de la deuxième saison !

En m'attaquant aux vêtements empilés sur ma chaise, j'ai eu une idée. Le cahier rouge, je le garderai pour Noël. Et pour la Saint-Valentin aussi, s'il me reste de la place. Mais au rythme où j'écris, j'aurai terminé mon cahier orange avant la fin de l'automne. Ça me prendrait donc un autre cahier pour le tome 7 de mon journal intime. Et oncle Alex qui est en Afrique… Dès qu'il rentrera, je lui demanderai où il se les procure, ces cahiers. Et j'irai choisir celui qui s'intercalera entre l'orange et le rouge.

Lundi 30 août

Ce matin, je discutais avec Catherine Frontenac et Audrey lorsque Jade est arrivée. Sortant des enveloppes de son sac, elle nous a annoncé :

– Dimanche, je vous invite pour mes 11 ans. N'oubliez pas votre maillot !

Yé !!! Un party de piscine ! Je garde des souvenirs mémorables de celui qu'elle avait organisé il y a trois ans. Pour ses 9 ans, par contre, il pleuvait et le party de piscine était tombé à l'eau. Quant à l'an dernier, la pauvre Jade n'avait pu nous convier à sa fête, car son père était malade et sa mère, débordée de travail. Cette année, j'espérais que la météo soit propice à la fête aquatique.

– Invites-tu aussi Marie-Ève, Africa et Catherine Provencher ? ai-je demandé.

– Évidemment. Plus Éléonore, Kelly-Ann et les deux nouvelles.

On a salué Africa et Marie-Ève qui arrivaient. Jade les a mises au courant pour son anniversaire. Le visage de Marie-Ève s'est décomposé. Elle a lâché :

– Je ne pourrai pas venir.

– Quoi ! s'est désolée Jade. Ne me dis pas que tu ne seras pas là !

– La longue fin de semaine de la fête du Travail, je la passerai avec mon père. Je ne rentrerai d'Ottawa que le lundi soir.

Catherine Frontenac a suggéré :
– Demande une faveur à ton paternel : qu'il te conduise chez Jade le dimanche matin et te reprenne après la fête.
– Ottawa se trouve à 200 km de Laval, a répondu Marie-Ève. Avec le retour, ça ferait 400 km dans la même journée. Papa refusera.

Se mêlant à notre conversation, Hugo a affirmé :
– Je le comprends. Écologiquement parlant, ça n'aurait aucun sens.
– Mais amicalement parlant, oui ! a rétorqué Jade.

Dommage que ma meilleure amie ne soit pas de la partie... La vie est belle, cher journal, mais je ne sais pas si tu l'as remarqué, elle est rarement parfaite.

Profitant du fait qu'Hugo s'éloignait, Audrey a demandé à Jade :
– Tu n'invites pas de gars ? Ce serait l'fun, dans la piscine.
– La première fois que des garçons sont venus à mon anniversaire, pour mes 6 ans, était aussi la dernière ! En moins de temps qu'il ne faut pour le dire, ils avaient pété les ballons. Et à propos de péter, Patrick n'arrêtait pas de faire des pets.
– Je m'en souviens ! ai-je dit. Et pendant qu'on mangeait le gâteau, lui et Eduardo faisaient un concours de rots !

Prenant la défense des gars, Catherine Frontenac a rétorqué :
– Ils ne sont pas tous comme ça.

– Pas tous, mais moi, j'en connais trois qui n'attendent pas un concours pour péter et roter, a dit Emma qui s'était jointe à notre petit groupe. Et qui, en plus, raffolent des batailles de serviettes mouillées.

Ayant compris que notre nouvelle amie faisait allusion à ses frères, on a éclaté de rire.

– Ah, les gars, si on ne les avait pas, on s'ennuierait ! ai-je lancé.

À cet instant, Gigi Foster, qui passait avec Magalie, s'est arrêtée. Un sourire moqueur aux lèvres, elle m'a demandé :

– Comme ça, Alice Aubry, tu t'ennuies de Karim ?

Me sentant rougir, j'ai répondu :

– Bien sûr ! Il ne te manque pas, à toi ? Je crois que toute la classe s'ennuie de lui !

– Ça, c'est bien vrai, a soupiré Catherine Provencher.

– Qui est Karim ? s'est informée Emma.

– C'était le gars le plus génial de l'école ! n'ai-je pu m'empêcher de m'écrier.

– Et il est où, maintenant ?

– Au Liban.

– Tu l'aimais ?

Je me sentais coincée par sa question. Mais je n'allais tout de même pas répondre : « Moi ?!!! Nonnn... jaaamais de la vie ! » D'abord, ça n'aurait pas été naturel. Et puis, Karim ne méritait pas ça. Alors, j'ai lâché un petit :

– Oui.

– Ça doit être difficile pour toi, a compati Emma.

– Et pour lui, a ajouté Marie-Ève.

– Dommage qu'il ait déménagé si loin, a conclu Emma, en me regardant comme si j'étais une malade en convalescence.

Africa a entouré mes épaules de son bras. J'étais super gênée de la tournure qu'avait prise la conversation. Mais, en même temps, je me sentais heureuse. Pas parce que je voulais me vanter d'avoir eu un *chum* en 5e année. Mais parce que les sentiments qu'on avait ressentis l'un pour l'autre, Karim et moi, étaient considérés comme importants. La tentative de JJF de se moquer de moi avait échoué. Elle n'avait pas dit son dernier mot pour autant. Tel **UN SERPENT PERFIDE**, elle a susurré à l'oreille d'Emma, assez fort pour qu'on l'entende :

– Alice se faisait des idées. Karim n'était pas amoureux d'elle. Mais il était si gentil qu'il ne voulait pas lui faire de peine. Alors, il faisait semblant. Il doit être soulagé, à présent.

Sur ce, elle s'est éloignée, suivie par Magalie. Africa s'est emportée.

– Ne la crois surtout pas ! Karim aimait Alice ! Il la couvait du regard.

Plantant ses yeux turquoise dans les miens, Emma a dit :

– Elle est méchante, cette Gigi. À mon avis, elle est jalouse de toi.

La cloche a sonné et madame Robinson est venue nous demander de la suivre dans la rue. Hein ??? Quelques mètres plus loin, elle a ouvert son auto remplie de coussins jaunes et rouges et de sacs de livres. On est montés en classe chargés comme des mulets. Notre enseignante nous a priés de déposer le tout au fond de la pièce. Les coussins, à gauche, et les livres à côté de la bibliothèque qui était arrivée. Nous avons eu droit à une demi-heure pour les découvrir et les ranger. Je ne suis pas une grande lectrice, mais je dois avouer que tous ces bouquins flambant neufs m'attiraient. Dès que j'aurai fini la lecture de *Retour à Cheyenne*, je commencerai à en emprunter.

Ensuite, madame Robinson nous a demandé de nous asseoir sur les coussins pour écouter les fameux exposés qui devaient dévoiler nos personnalités. Jonathan a fait une présentation éclair. Mais nous, les anciens de la 5e B, on savait déjà tout ça. (En gros : il a un grand frère qui s'appelle Tommy et qui fait du *skate* avec lui. Tommy aime les BD tandis que Jonathan déteste la lecture. Ce qu'il préfère, c'est sauter sur le trampoline géant dans leur cour.) Ensuite, Violette nous a parlé de ses allergies alimentaires. Elle est allergique aux arachides, aux noix, au soya, aux fruits de mer, au lait et aux fraises. Elle nous a raconté qu'elle avait eu sa première réaction d'allergie à l'âge de 2 ans. Ouvrant l'étui rose qu'elle porte à la taille, elle nous a montré son auto-injecteur d'adrénaline. Il contient le médicament qu'elle doit s'injecter au cas où elle aurait une réaction allergique.

– Les allergies font partie de moi, a poursuivi Violette. Mais heureusement, ma vie ne se résume pas à ça. J'ai, comme tout le monde, plein de facettes différentes : des qualités, des défauts et des goûts variés. Pour mieux vous faire comprendre, regardez.

Elle s'est dirigée vers le tableau. En grand, elle a écrit à la craie blanche :

Violette = Allergies alimentaires

Puis, avec une craie rouge, elle a fait une croix sur cette affirmation.

~~Violette = Allergies alimentaires~~

Elle est allée chercher un rouleau à côté de son pupitre. Puis, déroulant le grand carton devant nous, elle nous a dit :

– La fille que vous avez devant vous ressemble plutôt à ceci.

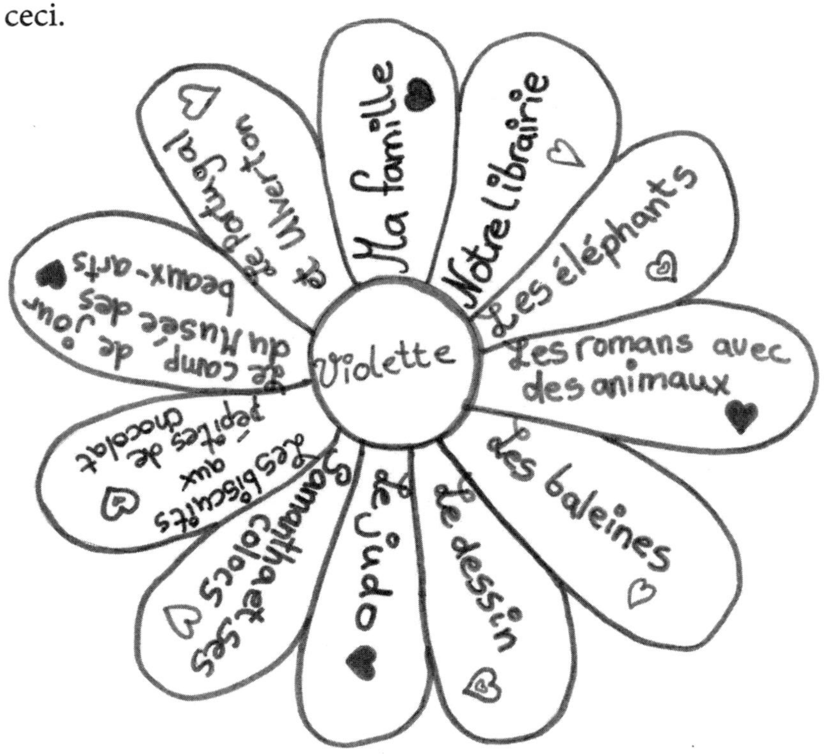

Pour éviter les risques de réactions allergiques, Violette nous a demandé de n'apporter ni arachides ni noix à l'école.

Elle avait à peine fini qu'Eduardo a levé la main.
– Bien ! a lancé madame Robinson. J'aime les élèves qui participent. Pose ta question.
– Je peux aller aux toilettes ?

Patrick a pouffé de rire. Faisant contre mauvaise fortune bon cœur, la prof a dit, les yeux levés au ciel, mais un léger sourire aux lèvres :
– Vas-y, Eduardo.

Puis, s'adressant aux autres :
– Qui a des questions sur les allergies alimentaires ?
– Te sens-tu différente des autres à cause de tes allergies ? s'est informée Jade.
– Quand j'étais petite, a répondu Violette, ça m'arrivait souvent d'être triste. À d'autres moments, j'étais en colère. Pourquoi ça m'arrivait à moi, ces maudites allergies ? C'était trop injuste. Puis, j'ai appris à vivre normalement. Ma famille m'aide à accepter mes allergies. Mes parents trouvent de bonnes recettes sur Internet. Je suis aussi membre d'une association qui vient en aide aux gens comme moi et qui organise une grande fête chaque année. J'y rencontre plein de jeunes qui ont eux aussi des allergies.
– Comme ça, tu ne te sens plus seule au monde, a commenté Emma.

Violette a acquiescé :
– Tu as raison, mais il m'arrive encore d'avoir le sentiment d'être à part. Par exemple, lors d'une fête, car j'apporte ma boîte à lunch. Les aliments qui s'y trouvent ont beau être très bons, je préférerais manger la même chose que les autres. Mais je suis habituée à cette situation et, pour le reste, je profite de la fiesta. À l'anniversaire de ma meilleure amie, les plats sont garantis sans aliment dangereux pour moi et le gâteau aussi, vu que c'est ma mère qui le fournit. Partager ce repas avec les autres invités me rend heureuse. Ça m'aide à me sentir bien intégrée.
– Pour mes 12 ans, tu pourras goûter à mon gâteau, lui a promis Africa. Je donnerai la liste des ingrédients interdits à ma mère. Comme elle est cuisinière dans une garderie, elle est habituée à tenir compte des allergies alimentaires.
– Merci !

Prenant la parole, Audrey a demandé à Violette :
– Tu n'as pas peur de mourir ?
J'ai trouvé sa question choquante, mais la principale intéressée n'a pas semblé s'en formaliser. Elle a répondu :
– Le jour où j'ai réalisé que ça pouvait m'arriver, je suis devenue anxieuse. Je me rappelle que je refusais de manger de la croustade aux pommes, parce que la garniture sur le dessus ressemblait à des noix hachées. Mes parents avaient beau m'assurer qu'il ne s'agissait pas de noix mais de flocons d'avoine avec du beurre et de la cassonade, c'était plus fort que moi. Aujourd'hui, la croustade est l'un de mes desserts préférés.

Se levant de sa chaise, madame Robinson a déclaré :
– Merci beaucoup, Violette, de nous avoir appris des tas de choses sur les allergies alimentaires. Maintenant, nous allons retourner à notre place pour la dictée. Je tiens à ce que vous ayez une bonne orthographe pour entrer au secondaire. Vous aurez donc une dictée par jour.
– Quoi ?! s'est exclamé Stanley.

D'autres, dans la classe, ont protesté, car monsieur Gauthier ne nous donnait qu'une dictée par semaine. Mais moi qui suis bonne en orthographe, j'ai toujours adoré les dictées. TILT ! Point positif nº 7 !

7

Point positif nº 8 : madame Robinson aime les chiens. En effet, le sujet de sa dictée était Balzac, son labrador couleur miel. Lorsque notre enseignante a annoncé que la dictée était terminée, j'ai pensé : « Déjà ? Dommage... » Car j'aurais voulu en savoir plus sur Balzac et j'aurais été prête à écrire des pages et des pages. Comme si elle avait deviné ma pensée, la prof a annoncé que les prochaines dictées porteraient sur la suite des aventures de Balzac. J'ai hâte à demain.

8

À la récré, Catherine Provencher, qui mangeait un muffin au chocolat, s'est adressée à Violette :
– Au moins, tu n'es pas allergique au chocolat !
– Plusieurs ingrédients entrent dans sa fabrication. Et du coup, de nombreux chocolats me sont interdits, parce

qu'ils contiennent des allergènes. Heureusement, il existe des marques de chocolats, de biscuits, de friandises et de crème glacée dont je peux me régaler en toute sécurité.

De retour à la maison, maman a commencé à nous raconter la première matinée d'intégration qu'elle avait passée avec Zoé à la garderie. On a sonné à la porte. Je suis allée ouvrir, suivie par Caro-la-curieuse et Cannelle-la-encore-plus-curieuse qui aboyait. C'était madame Baldini. Elle nous a demandé comment avait été notre rentrée. Ma sœur lui a expliqué que l'école avait recommencé vendredi dernier.

– Ah oui ? a dit notre voisine. Pour souligner cette occasion, j'ai préparé une fournée de biscotti ce matin.

Et elle nous a tendu un sac plein de ses biscuits aux amandes.

– Merci, madame Baldini ! On en gardera pour nos collations à la récré, l'ai-je assurée.

– S'il en reste, a rétorqué Caroline, qui est d'une sincérité désarmante.

En effet, les biscotti de madame Baldini durent rarement jusqu'au lendemain, chez nous.

Comme on était affamées, on en a d'ailleurs croqué trois chacune, avec un verre de lait et des mûres (mamie préparait une croustade aux mûres et on lui en « volait »). J'ai même offert un biscotti à Cannelle qui l'a avalé tout rond. Apercevant ma mère qui coupait un bloc de tofu (pour le souper sans doute, pfff…), je lui ai appris qu'une

des nouvelles de ma classe avait des allergies alimentaires. Puis, prenant un air comique:
– Violette est allergique au soya. Quelle chance elle a! Si c'était mon cas, on échapperait tous au tofu, dans cette maison.

L'auteure du futur livre *Tofu tout fou*! (alias moumou) n'a pas semblé apprécier mon humour.
– Les allergies alimentaires n'ont rien d'un caprice, Alice! Elles obligent l'enfant à devenir très tôt responsable de sa santé. En aucun temps il ne peut se permettre de relâcher sa vigilance. Violette est-elle aussi allergique aux arachides et aux noix?
–Oui.
– Nous veillerons désormais à ce que ces ingrédients n'entrent plus dans vos boîtes à lunch, à Caroline et à toi. N'y glissez pas les biscotti de madame Baldini, car les amandes rentrent dans la catégorie des noix.

Ma mère diététiste prenait ça très au sérieux.

Après ma douche, c'est la mort dans l'âme que j'ai préparé mon sac d'école. En effet, demain, on a un cours d'anglais. Rien qu'à l'idée de me retrouver enfermée dans la même pièce que Cruella, je me sens oppressée. J'ai ouvert le manuel de 6e année. Ses illustrations sont cool et colorées. Mais quel charabia. Je n'y comprends rien (ou presque). Est-ce que je serai capable de suivre l'anglais, cette année? Ou devrai-je me résoudre à demander de l'aide à ma sœur de 8 ans? Pour chasser ces pensées déprimantes, je me suis replongée dans le 4e tome des aventures de Kenza et de son inséparable jument (*Retour à Cheyenne*).

Mardi 31 août

Cette nuit, surgissant devant moi, Cruella m'a lancé :
– Alice Aubry, tu auras **zéro** jusqu'à la fin de l'année ! Tu redoubleras et on se reverra l'an prochain.

Et elle m'a fait… un abominable pied de nez !!! Puis, elle s'est retournée et le **tic-tic-tic-tic-tic** de ses talons aiguilles s'est éloigné dans le couloir. Tétanisée, j'osais à peine respirer. Quoi !? L'an prochain, je ne pourrais pas, comme mes amis, entrer au secondaire ! Je devrais rester à l'école des Érables et le supplice des cours avec madame Fattal se perpétuerait semaine après semaine, année après année, comme une terrible fatalité. Je me sentais découragée. Un poids énorme m'écrasait. Ça m'a réveillée. Fiouuu… ce n'était qu'un cauchemar de plus. Je suis allée boire un verre d'eau à la salle de bain. Après avoir caressé ma brave Cannelle, je me suis rendormie.

Mais ce matin, en repensant à la grimace de Crucru dans mon cauchemar, je me suis rappelé le pied de nez que ma mère lui avait fait, par inadvertance. Et pas dans un rêve, celui-là, mais dans la vraie vie. Le 23 juin dernier, précisément. (Avoue, cher journal, qu'il fallait le faire ! Accrocher son pouce dans son pif alors qu'on veut simplement lancer la main en guise de remerciement… Et que, comble de malchance, ça tombe sur ma prof d'anglais qui ne pouvait déjà pas me piffer !) Cruella aura-t-elle oublié l'offense de la mère de sa **shpoutz** ???

À la cafétéria, Stanley a prophétisé :
– On va encore se taper la lecture du code de vie…
– Peut-être pas, a répondu Africa. On est en 6e. Depuis le temps, on les connaît, les règlements.
– Moi, je parie que Stan a raison, a dit Patrick. Fatalité ne ratera pas cette occasion de nous embêter.
– Fatalité ? a répété Emma Shapiro en fronçant les sourcils.
– Ben oui, madame Fattal, la prof d'*angliche,* a précisé Eduardo.
– Elle est désagréable ?
– Pire. Détestable !
– Folle ben raide ! a renchéri Antoine, un gars de 6e A.
Audrey a protesté :
– Vous exagérez ! Vous allez faire peur à Emma.
Mais si tu veux mon avis, cher journal, Emma Shapiro n'a pas peur de grand-chose.

Juste avant que la cloche n'annonce le retour en classe, Cruella est venue nous chercher dans la cour. On aurait dit qu'elle avait un peu rapetissé (parce que nous, on avait tous **grandi** et que Stanley, Jonathan, Gigi Foster, Catherine Frontenac et Kelly-Ann la dépassaient déjà). Malgré ça, l'apparence de ma prof restait imposante avec son tailleur gris, son chemisier de soie fuchsia tendu par sa forte poitrine et ses nouvelles chaussures noires, vernies, à bouts ultra-pointus et à talons aiguilles. Si Lola Falbala les avait portées, je les aurais trouvées chic. Mais aux pieds de Pétula Fattal, ces souliers affichaient un air agressif. En montant l'escalier, j'avais l'impression de me rendre à l'abattoir. Je n'étais pas la seule : devant moi, les gars traînaient les pattes.

Stanley avait vu juste : Crucru nous a fait ouvrir notre agenda à la première page du code de vie. Tandis que Jonathan déchiffrait laborieusement l'article 14, la prof m'a fait sursauter en s'écriant :

– Catherine, je te prends sur le fait ! Il est interdit de manger en classe !

– On n'en parle pas dans le code de vie, a constaté Emma.

– Non, parce que ça va de soi ! lui a répondu Cruella en la foudroyant du regard.

Catherine Provencher a pris la parole :

– Madame Robinson nous a autorisés…

– Taratata ! l'a coupée Cruella. Aujourd'hui, les élèves se croient tout permis ! Mais ce n'est pas parce que d'autres enseignants baissent les bras que je vais tolérer que vous vous gaviez de friandises pendant mon cours.

– Ce n'est pas une friandise ! a protesté CP en brandissant son morceau de cheddar.

– Si tu continues à me défier, je t'envoie chez monsieur Rivet !

Cruella a demandé à Jonathan de reprendre la lecture de l'article 14 au complet. Pfff… J'étais en train de mouuuurir d'ennui lorsqu'une pensée positive a jailli de mon cerveau. Je m'y suis accrochée, comme à une bouée de sauvetage : puisque nous étions en 6e, c'était la **DERNIÈRE FOIS** que nous nous nous tapions cette lecture soporifique.

La der des der !!!

J'ai dû lire non pas 1 mais 2 articles : le nº 16 et le dernier, le nº 28. Car, pendant les vacances, le code de vie s'était « enrichi » de 2 nouveaux articles :

- Le nº 27 selon lequel on ne peut désormais utiliser un téléphone cellulaire ou un iPod à l'école avant la sonnerie de fin de journée.
- L'article nº 28 que je résume, car il a presque une page : « Non à l'intimidation ! »

Bref, cette activité fastidieuse a occupé presque tout le cours. Cruella a à peine eu le temps de nous donner une leçon de révision pour la semaine prochaine qu'il était déjà l'heure, pour elle, de plier bagage.

Madame Robinson est revenue en classe. Après avoir écrit « ...ique » au milieu du tableau, elle nous a lancé un défi : trouver le plus de mots finissant par ces 4 lettres en 5 minutes.

– On forme des équipes ? a demandé Gigi Foster.

Devant l'air étonné de la prof, Africa lui a expliqué :

– Pour ses jeux mathématiques, monsieur Gauthier nous demandait de constituer deux équipes puis il arbitrait le match.

– D'accord pour un match. Il opposera l'équipe des rouges à celle des jaunes. Les coussins jaunes s'installeront à gauche et les coussins rouges à droite.

Elle-même s'est assise sur sa chaise un peu en retrait des concurrents. À peine avait-elle donné le signal que les mots ont fusé :

– Informatique !

– Sympathique !

– Pique-nique !
– Allergique !
– Afrique !
– Belgique !

Après un silence, Jonathan s'est écrié :

– Éducation physique !
– Tu veux dire « physique », l'a repris Patrick.
– Physique, comme l'étude de la physique, a confirmé Bohumil.
– Ou comme le physique du beau Tom Thomas, a proposé Catherine Provencher d'un air coquin.
– Fanatique ! a lâché Stanley et c'était reparti.

Atlantique ! Boutique ! Jurassique Dynamique ! Microscopique ! Toxique ! Pacifique ! Hystérique !

Les jaunes dont je faisais partie l'ont remporté 21 à 18. Même si on n'avait pas trouvé tous les mots finissant par *ique* (madame Robinson nous a appris qu'il y en avait plus de 1 500 !), elle estimait qu'on méritait une récompense. Elle est allée chercher un livre dans son sac. Sur la couverture, il n'y avait pas d'illustration. J'ai eu un mauvais pressentiment : ce serait une lecture « moyenne »...

– C'est quoi ? lui a demandé Marie-Ève.
– *Je m'appelle Élizabeth,* de l'auteure Anne Wiazemsky.
– Un livre de fille..., a soupiré Eduardo.
– Un livre pour tous, a rétorqué la prof.

Et, ajustant ses lunettes rouges sur son nez, elle a commencé à lire :

– « Madame,

J'ai beaucoup hésité avant de me décider à vous écrire... »

Trois minutes plus tard, alors que notre enseignante tournait une page, Patrick a lâché :
– C'est vraiment pas intéressant !

Il formulait tout haut ce qu'on pensait tout bas. Hugo a demandé :
– On ne pourrait pas plutôt choisir un des livres dans notre bibliothèque ? Une histoire avec du suspense.
– Tu aimes le suspense, Hugo ? Formidable ! Avec ce roman-ci, tu vas être servi.

Et madame Robinson a repris sa lecture :
– « Dimanche. Leur père était parti rejoindre son bureau, dans l'hôpital psychiatrique départemental qu'il dirigeait depuis treize ans… »

Jonathan suivait des yeux une mouche qui volait dans la classe. Patrick s'était mis à ronfler (pour de faux, bien sûr). Eduardo a pouffé de rire. Après leur avoir lancé un regard leur intimant d'arrêter, la prof a poursuivi sa lecture. Cependant, même si elle lisait avec intonation, ce livre était si insipide que mon cerveau, comme celui de Jœy, de Pat, d'Eddy et de bien d'autres, s'était mis à *off*. Décidément, quelle journée soporifique…

Alors qu'on descendait à la récré, Gigi Foster a grogné :
– Les récompenses de monsieur Gauthier étaient *chill*. Mais avec madame Robinson, je n'ai pas hâte au prochain privilège. Déjà que je n'aime pas lire. Ce n'est certainement pas ce genre de roman qui me donnera la piqûre de la lecture !

– On devrait tous se forcer à mal travailler, a déclaré Patrick.
– Pourquoi ? a demandé JJF.
– Pour être sûrs de ne plus JAMAIS devoir subir de privilège pourri comme celui-là.

Mercredi 1er septembre

Je suis arrivée à l'école en même temps que Jade. Marie-Ève se trouvait déjà sous l'érable. Lorsqu'elle nous a aperçues, son visage s'est fendu d'un large sourire.
– Allô, Alice ! Allô, Jade ! Devinez quoi ?
– Euh… Tu peux venir à ma fête ?
– Ouiiiii ! J'ai laissé un message sur le répondeur de mon père, hier. Il m'a rappelée pour me dire qu'il avait trouvé une solution : on passera la fin de semaine à Valleyfield, chez mes grands-parents. Dimanche, il me déposera chez toi à 11 h.

Trop cool ! Comme dirait madame Baldini : « La vita è bella ! »

En arrivant en classe, on est allés s'asseoir sur les coussins. On connaît la routine, maintenant. Madame Robinson a donné la parole à Africa.
– J'ai choisi de vous raconter l'histoire de mon prénom. Comme plusieurs d'entre vous le savent déjà, je viens du Sénégal, un pays d'Afrique de l'Ouest. Lorsque mes

parents ont immigré, mon frère Maxwell avait 3 ans. Ma mère, elle, était enceinte de quatre mois. Le bébé dans son ventre, c'était moi. Quand l'avion a décollé, maman était très émue. Elle était heureuse que papa et elle aient reçu l'autorisation de vivre au Québec. Mais quitter la terre de ses ancêtres en y laissant une grande partie de sa famille lui fendait le cœur. Par le hublot, elle a aperçu la mer. En regardant les côtes de l'Afrique s'éloigner, elle a murmuré : « Africa... » C'est alors qu'elle a eu l'impression qu'une vague ondulait dans son ventre. C'était la première fois qu'elle sentait son bébé bouger. Elle m'a raconté que c'était comme si je lui avais dit : « Maman, je suis là, comme si tu apportais une poignée de terre d'Afrique avec toi. Nous partons vivre au pays de la neige et du sirop d'érable, mais nous n'oublierons jamais d'où nous venons. » Alors, ma mère s'est tournée vers mon père. Elle lui a annoncé : « Ismaïl, j'attends une fille. Elle s'appellera *Africa.* » Ça fait 12 ans qu'on vit à Montréal. J'adore cette ville ! C'est chez moi, ici. Mais je rêve un jour de découvrir le Sénégal.

Quelle belle histoire ! Elle m'a fait penser à ma petite moumou. Il y a 14 ans, elle aussi est montée à bord d'un avion et a survolé l'océan Atlantique avant d'atterrir sur un autre continent, dans une autre vie. Tout ça, par amour pour le beau Marc qui est devenu mon papa.

Cet après-midi, c'est moi qui ai dû me présenter. Ensuite, c'était au tour de Gigi Foster. Elle nous a lu deux listes. La première énumérait 10 choses qu'elle aime :

Mais j'espère qu'elle n'en amènera pas à l'école. C'est dangereux pour Violette !

- manger des toasts au beurre d'arachide (ça alors, un point en commun avec moi !);
- aller à la cabane à sucre (2e point commun...);
- faire du camping en pleine nature (3e... je vais finir par croire que mon ennemie publique no 1 et moi avons des ancêtres – et par le fait même des gènes en commun);
- participer à la Grande Fête de l'Halloween à la Ronde et traverser la Maison hantée (fiouuu, je suis rassurée, car les maisons hantées et les films d'horreur, c'est pas pour moi !);
- jouer au basket (ça non plus, quel supplice !);
- regarder les matches de basket;
- regarder les matches de hockey de la LNH;
- regarder des films d'action en grignotant un grand sac de pop-corn;
- faire de la motoneige avec son cousin, son oncle et son père;
- s'occuper de sa tortue Noémie.

Lorsqu'elle a annoncé : « Et voici 10 choses que je déteste », ses yeux se sont posés sur moi. Allait-elle dire devant tout le monde : « Être dans la même classe qu'Alice Aubry »? Elle n'a tout de même pas osé. À la place, elle a commencé son inventaire :

- son prénom (je la comprends : moi non plus, je n'aimerais pas m'appeler Gigi. Gigi Aubry... En fait, ça ne sonne pas si mal, mais si je

m'appelais comme ça, j'aurais une personnalité 100 % différente !);
- ☹ la grammaire;
- ☹ les dictées;
- ☹ les histoires de princesses;
- ☹ les crevettes;
- ☹ le maquillage;
- ☹ lire le code de vie de l'école, au début de l'année, avec madame Fattal (là, plusieurs ont pouffé de rire et on a entendu : « Moi aussi, j'haïs ça ! »);
- ☹ le patinage artistique;
- ☹ Les choux de Bruxelles (moi, par contre, j'aime ça mais pas Caro. Elle a horreur des choux de Bruxelles. Même le ketchup ne parvient pas à les faire passer.);
- ☹ les céréales au chocolat (un autre point en commun avec moi. JJF aurait-elle fait, elle aussi, une overdose de Crocolatos ? Quoique je l'imagine mal se démener pour gagner un T-shirt argenté...).

En fait, j'ai réalisé que je ne connais pas grand-chose de JJ Foster. Bon, cher journal, à mon tour d'établir une liste. Ce que je sais sur Gigi Foster :

- elle est fille unique et ses parents sont séparés;
- son père est pilote d'avion;
- elle aura 12 ans le mois prochain, ce qui fait d'elle la plus vieille de la classe;
- elle habite sur la rue Périchon. (Pas loin de chez moi... Depuis l'Halloween dernière, j'évite de passer par là.)

C'est à peu près tout. Mais finalement, je ne sais pas pourquoi je gaspille des pages de mon cahier pour te parler de cette fille, cher journal… Je vais plutôt m'occuper des gens que j'aime. Tiens, pourquoi ne pas proposer une balade à Cannelle avant le souper ? Je demanderai à mamie et à Caro si elles veulent nous accompagner. Je viens de prononcer les mots magiques : « On va se promener ? » Ma chienne qui somnolait à côté de mon bureau s'est mise à bondir en jappant joyeusement.

Jeudi 2 septembre

Ce matin, alors que j'attendais Marie-Ève sous l'érable, Emma Shapiro est venue me trouver. Après m'avoir saluée, elle m'a demandé comment était la prof d'éduc. En effet, on allait avoir notre premier cours.

– On est toujours contents de la retrouver. Kim Duval est super dynamique, mais aussi très exigeante. Heureusement, elle est juste : elle n'est pas du style à avoir des chouchous. Ma seule crainte est qu'elle nous fasse jouer au ballon toute l'année. J'ai ça en horreur.

Je suis nulle au soccer !

Emma a ouvert des yeux ronds :

– Pourquoi ?

– Parce que je ne l'attrape presque jamais. Ou alors en pleine figure. Parce que personne ne me choisit dans son équipe. Et

Paf sur mon pif !

lorsque je finis par atterrir dans la même que Gigi Foster, je suis loin d'être la bienvenue.
– C'est pas drôle, en effet. Moi, j'ai toujours adoré jouer au ballon.

Madame Duval nous a tous bien accueillis dans le gymnase. Ses cheveux ne sont plus bleus mais orange. Elle nous a organisé un parcours dans le gymnase. À commencer par la roue. Un autre de ses dadas !

Ce midi, à la cafétéria, Simon s'est frayé un chemin jusqu'à Marie-Ève et moi. J'ai senti cette dernière se raidir.
– Je peux m'asseoir avec vous ? nous a-t-il demandé.
Avant que j'aie eu le temps de répondre « bien sûr ! », Marie-Ève m'a devancée.
– Tu es libre de t'installer où tu veux, lui a-t-elle lancé d'un ton glacial.

Freiné net dans son élan, le pauvre Simon a regardé autour de lui, l'air un peu perdu. Il est allé rejoindre Bohumil et un nouveau de 6e A (je crois qu'il s'appelle Petrus), à la table voisine. J'étais choquée par la réaction de mon amie. Cependant, je la connaissais. Elle avait essayé de faire comme si elle s'en fichait, mais ça sonnait faux.

Une demi-heure plus tard, en arrivant dans la cour, j'ai jeté un coup d'œil à la ronde. Personne dans les parages. Gigi Foster et d'autres lançaient un ballon à tour de rôle dans un panier de basket.

– Je ne veux pas être indiscrète, Marie-Ève, lui ai-je dit, mais je suis ta meilleure amie, après tout. J'ai une question à te poser.
– Quoi ?
– Es-tu encore amoureuse de Simon ?
– De Simon ?! s'est-elle écriée. Voyons, Alice, ça fait une éternité que c'est fini avec ce gars !
– Lui, je crois qu'il t'aime encore.
– C'est son problème. En plus, maintenant, il a des broches ! Écoute, Alice, à ta question, je réponds : « NON ! »
– Ah bon, ai-je fait. Je me suis trompée. Désolée.

Madame Robinson nous a distribué un formulaire. La séance de photos aura lieu mardi prochain. Mes amies et moi, on s'échange toujours nos photos d'école (le petit format). J'attends aussi avec impatience la photo de classe.

21 h 09. Il y a une demi-heure, papa est entré dans ma chambre. Me tendant le téléphone, il a murmuré :
– C'est Marie-Ève. Descends au sous-sol pour ne pas réveiller ta sœur.

C'est ce que j'ai fait. Une fois allongée sur le sofa avec Cannelle qui m'avait suivie, j'ai demandé à mon amie si elle avait fini ses devoirs.
– Oui, mais je ne t'appelais pas concernant le travail scolaire.
– J'ai l'impression que tu me téléphones d'Australie ! Tu peux parler un peu plus fort, s'il te plaît ?

– Ce n'est pas possible, a continué à chuchoter Marie-Ève. Je ne veux pas que ma mère m'entende. Peux-tu répéter ta question, s'il te plaît.
– Laquelle ?
– Celle que tu m'as posée après le lunch.
– Concernant Simon ?!
– Oui.
– Je t'ai demandé si tu étais encore amoureuse de lui.
– Et je te réponds : « Oui. »
– Hein ! Mais, tout à l'heure, tu as mis toute ton énergie à me prouver le contraire. Et j'avoue que tu y étais presque parvenue.
– Je t'ai menti.
– …
– Je me suis aussi menti à moi-même, pendant des mois.

Dans le combiné, j'ai entendu une porte grincer puis la voix de Stéphanie Poirier dire :
– Marie-Ève, tu n'as pas encore pris ton bain ?!
– Non, je suis au téléphone avec Alice.
– Il se fait tard, ma chouette.
– C'est super important, m'man, a plaidé mon amie. Écoute, pour une fois, je prendrai une douche express. Mais laisse-nous encore jusqu'à 9 h.
– D'accord.

Après que sa mère eut refermé la porte, Marie-Ève m'a demandé :
– Tu es toujours là ?

– Oui, bien sûr.
– Pour Simon, c'était toi qui avais raison. L'épisode de sa gastro m'avait traumatisée. Mon rejet a duré quelques semaines, mais après, c'est revenu, les palpitations du cœur et tout le reste. Cependant, mon amour-propre était le plus fort. Je refusais d'admettre que j'aimais à nouveau Simon. Lorsque je l'ai revu, le jour de la rentrée, mon cœur n'a fait qu'un bond. Cependant, ma joie a été de courte durée puisque Miss Parfaite, triomphante, a annoncé à Simon qu'ils étaient ensemble en 6e A. Cette fille s'est toujours intéressée à lui. J'étais persuadée que, cette fois, il allait succomber à son charme.
– Tu es jalouse d'Éléonore ? ai-je demandé.
– Oui, tu as tout à fait raison, Alice ! J'ai été submergée par la jalousie. C'est un sentiment cruel, qui griffe le cœur. Alors, pour ne plus souffrir, j'ai décidé d'ignorer Simon. Ce n'était pas facile, surtout lorsqu'il était là, près de moi. J'aurais voulu que mon cœur soit de pierre mais, à la place, il fondait comme une guimauve. En plus, je me sentais coupable de parler bêtement à Simon. Il ne le méritait pas. J'étais empêtrée dans mes sentiments. Et puis, il y a eu ta fameuse question. On dirait qu'en la posant, c'est comme si tu avais tiré sur le fil et que tout s'était démêlé. Ce soir, j'ai attendu que ma mère s'installe devant son émission pour te téléphoner.

Marie-Ève a repris :
– Si je t'ai parlé des broches de Simon tout à l'heure, c'est parce que c'était le premier argument qui m'est passé par

la tête pour justifier ma réponse. Mais, en vérité, ça m'est égal. Broches ou pas, je le trouve toujours aussi merveilleux.

Ma meilleure amie m'a demandé d'une voix anxieuse :

– Qu'est-ce que je vais faire, maintenant ?

– Ôte ton masque de froideur, Marie. Sois toi-même. Tu aimes Simon. Tu as le droit de le lui dire. Ou de le lui écrire.

– Voyons, Alice, je n'oserais jamais ! D'ailleurs, après l'affront que je lui ai fait ce midi, il y a toutes les chances qu'il me laisse définitivement tomber.

– Je ne crois pas. Sans vouloir le séduire à tout prix, tu peux simplement redevenir naturelle avec lui, ne plus fuir son regard, lui sourire, lui parler. Et pour le reste, tu verras.

– Il n'y comprendra plus rien si, du jour au lendemain, je change de comportement.

Cette fois, c'est mon père qui m'a demandé de monter me coucher. Marie-Ève et moi, on a dû écourter notre conversation, mais au moins, on s'était dit l'essentiel. Je le savais, cher journal, que ma meilleure amie était encore amoureuse. Ça crevait les yeux ! Je fais un vœu : qu'elle et Simon se réconcilient.

Vendredi 3 septembre

Ce matin, Marie-Ève m'attendait de pied ferme sous l'érable.

– C'est fait !

– Quoi ?

– Je suis arrivée tôt. Dès que j'ai aperçu Simon, j'ai pris mon courage à deux mains et je suis allée le trouver. J'ai commencé par m'excuser pour mon attitude détestable. Puis, je lui ai parlé à cœur ouvert. Au début, je le sentais sur ses gardes. Je lui ai avoué que je l'aimais toujours, mais que je comprendrais qu'il ne veuille plus m'adresser la parole. Il a haussé les épaules et a levé les yeux d'un air comique en disant : « Ne plus t'adresser la parole ?! Voyons, Marie-Ève, pas besoin de dramatiser ! » J'ai murmuré : « Merci, Simon ». Et comme Bohumil arrivait, je me suis éloignée.

– Tu as bien fait de lui parler, l'ai-je assurée.

– Grâce à toi, ma chère Alice, je suis délivrée d'un mauvais sort.

On a eu un premier contrôle en maths. Au bout de quelques minutes, rompant le silence, **Sisi Foster** a interpellé la prof.

– Alice a triché !

Quoi !!! Me retournant, je me suis défendue :

– C'est pas vrai !

– Je t'ai vue. Tu regardais sur la feuille de Marie-Ève !

Faux, archifaux. J'étais concentrée, ou peut-être dans la lune, mais tricher, non. En copiant sur ma BFF, en plus… Elle racontait n'importe quoi, cette peste ! En 5e année, monsieur Gauthier avait déclaré, dès la première semaine : « Gigi, j'ai horreur qu'on dénonce les autres. Je te demanderais de ne plus recommencer. » Mais notre enseignant se trouvait désormais à l'étage du dessous et Gigi Foster reprenait sa détestable habitude.

Me considérant d'un air suspicieux, madame Robinson a dit :

– Je ne sais pas qui de vous deux a raison : toi, Gigi, ou toi, Alice. Mais la confiance doit régner en classe. C'est clair ?

– D'accord, madame, ai-je répondu. Cependant, je vous assure que je n'ai pas triché.

– Tant mieux, a ajouté la prof. Et toi, Gigi, tu as compris ?

– Oui.

Au moins, madame Robinson a mis les points sur les *i*. J'avais envie de me retourner à nouveau vers JJF et de lui tirer la langue, mais bien sûr, je me suis retenue.

(9) Point positif n° 9 : madame Robinson ne supporte pas non plus qu'on rapporte (Madaaame, elle a fait ci, ou il a fait ça, et patati et patata.)

10 Point positif n° 10: avec elle, on a congé de devoirs la fin de semaine! Heureusement, car du lundi au jeudi, elle en distribue des tonnes!

(Hé, cher journal, ma mère serait fière de sa Biquette si elle savait que j'ai relevé avec brio le pari qu'elle m'avait lancé: trouver **10** points positifs à mon enseignante!) Avec Jonathan, par contre, madame Robinson fait preuve de moins de patience que monsieur Gauthier. La tornade de la 6e B a une fois de plus renversé sa chaise. Cinq minutes plus tard, il a coupé la parole à Kelly-Ann qui posait une question. La prof lui a lancé d'un ton sec:

– Tu attends ton tour!

Patrick, qui se trouvait près de Joey, l'a interrogé:

– Qu'est-ce qui est jaune et qui attend?

– ...???

– *Jaune attend,* a dit l'humoriste de la classe.

La phrase a fait son chemin dans le cerveau de Joey. Un chemin sinueux. Mais au moment où ça a fait TILT, son visage s'est illuminé.

– *Yo man,* t'es cool! a-t-il lancé à Pat. T'inventes des blagues sur mesure pour moi!

– Jonathan, ça suffit! lui a intimé madame Robinson. On bavarde à la récréation, mais pas en classe.

Et elle lui a collé un zéro. Pauvre Joey... après l'année passée dans la classe de monsieur Gauthier durant laquelle il a eu 0 zéro, il ne va quand même pas recommencer à les collectionner!

En rentrant à la maison, j'ai décidé de laver mon tee-shirt de Lola Falbala. À la main, comme madame Baldini me l'avait conseillé, pour qu'il ne lui arrive plus de catastrophe. En effet, j'avais envie de le porter pour la fête de Jade, dimanche. Mais j'ai eu beau fouiller dans ma garde-robe, pas moyen de mettre la main dessus. J'ai demandé à ma mère si elle ne l'avait pas vu.
– Je ne pense pas l'avoir lavé. Enfin, j'espère que non, parce que je viens de faire une brassée à l'eau de Javel.

À l'eau de Javel !!! Horreur absolue ! J'imaginais mon chandail complètement décoloré… (en effet, je connais les ravages de ce produit. Moumou a déjà mis par mégarde mon pyjama rouge dans une brassée à l'eau de Javel. Il était devenu d'un affreux rose plein de taches blanches). Le cœur battant, j'ai dévalé l'escalier menant au sous-sol. La laveuse s'était arrêtée. Retenant mon souffle, j'ai sorti une à une les guenilles que maman utilise pour le ménage. Mon précieux t-shirt n'y était pas ! Fiouuuuuuuuuu… Mais il était où ?

J'ai fini par le découvrir sous mes pyjamas roulés en boule. Je viens de faire une petite lessive avec 2 gouttes de savon pour linge délicat. *Mon tee-shirt sent bon et il sèche sur un cintre. Yé !*

19 h 15. Pendant le souper, grand-papa et grand-maman ont appelé. On ira ensemble aux pommes, demain. Cool ! Il valait donc mieux que je m'occupe du cadeau de Jade ce soir. J'ai demandé à papa de m'accompagner à la

pharmacie. L'autre jour, Jade admirait le vernis bleu craquelé de Brianne. J'aimerais lui en trouver un. Papa était d'accord. Il vient de m'appeler pour qu'on y aille. Bye !

20 h 04. De retour… En parlant de vernis :
☺ Pour Jade, j'ai trouvé un coffret contenant 5 mini-vernis à ongles bleu jeans, du bleu le plus pâle au bleu foncé + un flacon de vernis craquelé. Elle va adorer !
☺ J'ai envie de me mettre du vernis. J'ai sorti mon unique flacon de vernis rose.
☺ J'aimerais en avoir d'autres.
Et ce dont je rêve, c'est de m'appliquer des motifs sur les ongles, comme Lola Falbala, « Ça s'appelle du *Nail* Art, m'a dit Marie-Ève. Maman en pose sur les ongles de ses clientes. » Le hic, c'est que ma tirelire est vide. Mon anniversaire est déjà passé et pour Noël, il faut attendre trois mois et demi… Si je pouvais gagner un peu d'argent de poche, par exemple en allant garder Marie-Capucine et Jean-Sébastien, comme madame Bergeron en avait parlé, je commencerais une collection de vernis.

Samedi 4 septembre

Il était 10 h 30 quand, après Hemmingford, on a tourné à droite sur le chemin Covey Hill. Papa, qui avait ouvert grand la fenêtre, roulait paisiblement. Maman avait le sourire aux lèvres. Mamie regardait le paysage d'un air rêveur, Caroline chantonnait et Zouzou avait arrêté de râler (selon maman, elle fait encore des dents...) Une demi-heure plus tard, on était arrivés chez mes grands-parents paternels. Ils avaient préparé un pique-nique qu'on est allés manger dans un verger. Les branches des pommiers ployaient sous le poids de leurs fruits rouges.

– Installons-nous là ! a proposé Caro en désignant un grand arbre.

Nous nous sommes faufilés sous une véritable voûte de feuillage et de pommes. Après avoir étalé la nappe à carreaux bleus sur l'herbe, on a sorti du panier toutes les bonnes choses qui s'y trouvaient. Caroline a demandé où était le ketchup.

– Je n'ai pas pensé à en apporter, a répondu grand-maman.

Néanmoins, l'absence de la substance rouge à laquelle ma sœur est accro ne l'a pas empêchée de dévorer sandwich, chips et crudités. Comme dessert, on n'a eu qu'à tendre la main pour cueillir des pommes juteuses et sucrées. Ensuite, pendant que les hommes et Zoé faisaient la sieste sous le pommier, grand-maman, mamie, maman, Caro et moi, on a rempli trois grands sacs de pommes.

Dimanche 5 septembre

En route vers le party de piscine !

Sous mes vêtements, je portais mon bikini. Aux pieds, mes gougounes noires et chic.
– On y va ? ai-je dit à Cannelle.

En effet, Jade avait demandé si je pouvais l'amener. Elle est tombée en amour avec ma chienne à ma fête. Il était convenu qu'après l'apéro offert aux parents qui accompagneraient leur fille, mon père repartirait avec Cannelle. Papa nous attendait dans la fourgonnette… avec Caroline !
– Qu'est-ce que tu fais là, toi ?!

scrogneugneu

– Ma puce, ne sois pas agressive avec ta sœur. Je lui ai simplement proposé de venir te conduire avec moi.

Chez Jade, la terrasse était décorée de ballons bleus, blancs et verts. Les autres invitées étaient déjà presque toutes là. Elles sont venues m'accueillir en maillot et caresser Cannelle. J'ai ôté ma jupe et mon tee-shirt.
– La dernière dans la piscine est une patate pourrie ! a lancé Catherine Provencher avant de se précipiter à l'eau en faisant la bombe.

J'ai sauté à mon tour. Brrrrrrrrr !!! Elle était fraîche ! Ma sœur, assise au bord de la piscine, nous regardait avec envie. J'avais hâte qu'elle s'en aille avec papa. Et Cannelle ? La voilà qui accourait et PLOUF !
– Elle a envie de s'amuser avec nous, a dit Violette.
– Trop cool ! Viens, ma petite Cannelle ! l'a appelée Jade.

Mais ma chienne ne semblait pas avoir envie de jouer. L'air inquiet, elle nageait vers moi. Je lui ai tendu mes bras. Avec les mouvements brusques de ses pattes, elle s'est mise à me griffer (sans le faire exprès, bien sûr). Ma parole, elle m'enfonçait sous l'eau ! J'essayais de la repousser, mais elle tenait absolument à grimper sur moi ! Africa a attrapé Cannelle qui s'est débattue et a recommencé à me caler. Cette fois, j'ai bu la tasse.

Se jetant à l'eau, le père de Jade a saisi Cannelle et l'a déposée sur le bord de la piscine. Ouf. Je reprenais mon souffle en toussotant quand RE-PLOUF !, ma chienne s'est à nouveau précipitée vers moi avec des yeux implorants. Oh, non ! Je ne trouvais plus ça drôle…
– Sors de l'eau, toi aussi, m'a demandé monsieur Chicoine. Cannelle pense que tu es en danger. Elle cherche à te sauver.
– Te sauver ! a pouffé Audrey. On aurait plutôt dit qu'elle voulait te couler !

Pauvre Cannelle. Elle avait eu peur que je me noie. Mais c'est elle qui aurait pu me noyer, avec son « aide » maladroite dont je n'avais nul besoin…

M'assoyant sur l'herbe, j'ai pris ma chienne dans mes bras pour la rassurer. Son cœur battait fort.
– Doux, doux, lui ai-je murmuré en caressant son poil mouillé. Tout va bien.

Caro et les adultes nous entouraient. Mais où était papa ? Le voilà qui arrivait. En fait, il revenait des toilettes.

Lorsqu'il a appris ce qui s'était passé, il a déclaré, en regardant le père de Jade dont les vêtements dégoulinaient :
– Je suis désolé !
– En fait, je rêvais de me rafraîchir dans la piscine, a assuré monsieur Chicoine avec humour. Grâce à Cannelle, voilà qui est fait !
– Bon, moi, je ramène la chienne à la maison pour que vous puissiez continuer à nager. Amusez-vous bien les filles ! Tu viens Caroline ?

Prenant un air angélique, ma sœur a déclaré :
– J'aimerais *beaucoup* rester.

Ça y est, je l'avais senti…

J'ai failli m'écrier : « Il n'en est pas question ! » Mais devant tous ces parents, je n'ai pas osé, de peur qu'on me prenne pour une sœur indigne.
– C'est une fête pour les grandes, a mentionné papa.
– De toute façon, elle n'est pas invitée, n'ai-je pu m'empêcher d'ajouter.

Caroline a papillonné des cils en direction des parents de Jade. J'enrageais !
– Viens, mon chaton, a redit papa sans beaucoup de conviction.

Jouant le tout pour le tout, ma sœur a fait la victime. Quelqu'un qui ne la connaîtrait pas l'aurait prise pour une petite fille n'ayant jamais rien eu dans la vie. Tombant dans le panneau, la mère de Jade lui a proposé :
– Si tu veux rester, Caroline, tu es la bienvenue.
– Merci, a répondu ma sœur.

En désespoir de cause, je lui ai lancé :

– T'as même pas de maillot !

Madame Lambert a balayé mon objection en ajoutant qu'elle lui prêterait le bikini que portait Jade l'été dernier.

La traîtresse l'a suivie à l'intérieur pour aller se changer. Elle gâchait mon plaisir. C'était un party entre filles de 6e, non ? Même Anaïs, la sœur de Jade, n'y était pas. Au moment où papa et Cannelle partaient, Emma est arrivée. (Décidément, elle n'est vraiment pas ponctuelle, quoi qu'elle affirme !) Elle a flatté ma chienne qui s'est ébrouée, mouillant son tee-shirt rouge et son bermuda orange très délavé. À mon avis, il avait appartenu à son frère aîné (j'ai oublié son nom, Adrien ?Augustin ? Enfin, peu importe !) qui l'avait passé à Valentin puis à Benjamin avant qu'Emma n'en hérite à son tour.

– Tu as pris un bain ? a-t-elle demandé à Cannelle.

– Elle a plongé à l'eau pour secourir Alice, a répondu papa.

De peur qu'Emma croie que je ne savais pas nager, j'allais me lancer dans des explications, mais ça n'a pas été nécessaire. Elle avait compris que papa blaguait.

– Chipolata fait la même chose, a-t-elle raconté. Chaque fois qu'on veut se baigner dans le lac, on est obligés de l'enfermer dans le chalet. Carpette, par contre, on peut le laisser dehors. Il est tellement *vedge* que même si on était en train de se noyer, il ne bougerait pas d'un poil.

C'est ainsi qu'on a appris qu'Emma Shapiro avait deux chiens.

On a disputé une partie endiablée de Marco Polo. Puis Jade et moi, on a gagné le concours de poirier (en éduc, j'ai toujours peur de faire le poirier, c'est-à-dire de me tenir verticalement, la tête et les mains appuyées au sol, mais dans l'eau, je le réussis bien maintenant). Je faisais comme si ma sœur n'était pas là. Elle s'amusait follement, mais sans jouer les vedettes ni les bébés-lala. C'était au moins ça. Le père de Jade nous a appelées à table. Il y avait trois salades, des chips et des morceaux de poulet rôti. Pendant qu'on se servait, Violette a ouvert sa boîte à lunch.

Pour dessert, on nous a apporté un plateau de fruits, mais sans fraises. On en a tous mangé, même Violette. Deux guêpes se sont mises à nous tourner autour.
– J'ai peur ! a dit Catherine Frontenac en faisant des gestes brusques pour les chasser.
– Ferme tes yeux et ta bouche, lui a conseillé Emma. Ne bouge pas et les guêpes ne te piqu…

À cet instant, Éléonore a lâché sa pêche en poussant un de ces huuurlements ! S'enfuyant à toutes jambes, elle a piqué un sprint autour de la piscine comme si un essaim de guêpes était à ses trousses. En fait, elle n'avait pas été piquée, mais l'insecte qui s'était approché de son visage l'avait épouvantée. Jade nous a proposé de retourner à l'eau.

Monsieur Chicoine a donné le coup d'envoi des épreuves aquatiques. J'ai notamment adoré celle où on choisissait un cadeau joliment emballé. J'avais opté pour un paquet rose avec un nœud marron.

Chaque fois que l'une d'entre nous traversait la piscine en courant et en tenant son paquet en l'air, pour ne pas le mouiller, elle pouvait décider de le troquer contre celui d'une amie. Après plusieurs échanges, je venais d'hériter du mini-paquet jaune lorsque le père de Jade a décrété la fin du jeu. J'étais un peu déçue. Mais lorsque j'ai découvert mon présent, une chaîne avec une fleur fuchsia, j'ai changé d'avis. Quel joli bijou !

Le dernier jeu était une course à relais. Ma sœur s'est retrouvée dans l'autre équipe. En attendant mon tour, je l'ai observée. Elle s'est mise à nager comme si sa vie en dépendait, bien déterminée à aider les grandes de son groupe à gagner. Moi aussi, j'ai foncé. Lorsque j'ai passé le relais à Marie-Ève, la dernière, elle s'est élancée à son tour. On scandait : « Maé ! Maé ! », et l'autre équipe : « Kelly-Ann ! Kelly-Ann ! » Marie-Ève venait de se faire dépasser par son adversaire lorsqu'elle s'est arrêtée net en criant :

– Aïe, j'ai mal !

Elle a regagné le bord.

– Tu abandonnes ? a demandé Audrey.

– Non, mais j'ai une douleur atroce sous le bras !

– Sors de l'eau et montre-nous ça, l'a priée monsieur Chicoine.

Il a constaté :

– Ton aisselle est rouge. Oh, il y a un dard ! Une guêpe a dû se trouver sur ta trajectoire à l'instant où tu as levé ton bras. En le rabattant, tu l'as écrasée et elle t'a piquée.

« Fichue bestiole ! ai-je pensé. Elle aurait pu passer ailleurs. » Pauvre Marie-Ève. Elle avait si mal qu'elle en avait les larmes aux yeux. Même après que le père de Jade eut ôté le dard.

C'est alors que Catherine Frontenac a sorti une énormité :
– Tu as quand même beaucoup de chance.
– Comment ça ?! a riposté Marie-Ève, interloquée.
On a tous regardé CF en se demandant quelle mouche l'avait piquée. Mais elle ne blaguait pas. Elle a expliqué :
– L'ex-conjoint de la collègue de ma mère a été piqué 47 fois !
– 47 piqûres de guêpes dans sa vie ? J'avoue qu'il n'a pas de chance, a commenté Africa.
– Il ne s'agit pas d'une piqûre en moyenne par an. Mais de 47 en quelques instants. Il avait commencé à tailler sa haie. Mais il ignorait qu'elle abritait un nid de guêpes. Furieuses, elles l'ont attaqué. Résultat, des dizaines de piqûres, dont la plupart au visage.
– Tu as raison, Catherine, a reconnu Marie-Ève en réussissant à sourire. Mon cas est moins terrible. Jamais de ma vie je ne taillerai de haie !

Pour manger le gâteau sans être importunées par les guêpes, on est rentrées dans la véranda. La mère de Jade avait téléphoné à celle de Violette. Celle-ci lui avait énuméré les ingrédients auxquels sa fille était allergique. Elle lui avait envoyé une recette de gâteau délicieux et sans risque pour sa santé. Notre nouvelle amie était aux anges ! Ensuite, Jade a ouvert ses cadeaux :

- De Marie-Ève : des mini-bouteilles de parfum pour sa collection.
- D'Africa : un livre sur la Chine.
- De Catherine Provencher : un joli tee-shirt bleu.
- De Catherine Frontenac : un bon de 20 $ dans un magasin de vêtements pour ados.
- D'Audrey : une bague qui change de couleur selon nos émotions.
- D'Éléonore : un livre sur les gymnastes féminines aux Jeux olympiques de Londres.
- De Violette : un bon de 30 $ à la librairie de ses parents.
- D'Emma : un jeu de type mini *Master Mind* en bois.

De retour à la maison, dès que je me suis retrouvée seule avec Caroline, je me suis écriée :
– Ne me fais plus jamais ça ! Moi, je ne m'impose pas quand tu es invitée chez Jimmy ou Jessica !
– Excuse-moi, Alice. Mais cette fête dans la piscine et toutes tes amies… je n'ai pas pu résister. C'est la première fois que je te joue ce tour-là. Mais ça n'arrivera plus. Juré craché !

Et elle a claqué sa main dans la mienne. Prise d'un élan de tendresse, je lui ai dit :
– Allez, viens ici, mon gros bébé d'amour.

Heureuse que je lui pardonne, ma sœur s'est jetée dans mes bras et on s'est fait un gros câlin. Cannelle aussi en a reçu un. Elle qui, persuadée que j'étais en mauvaise posture, ce matin, avait volé (ou plutôt nagé) à mon secours.

Pendant le souper, Caroline et moi avons raconté notre journée à nos parents et à mamie. Comme Zoé, assise à mes côtés dans sa chaise haute, semblait suivre la conversation avec intérêt, je lui ai expliqué ce qui était arrivé à Marie-Ève. Mimant l'histoire en levant mon bras, j'ai déclaré :

– Et la guêpe a fait PIC ! Alors Marie-Ève a crié : « Aïe, j'ai mal ! »

Zoé a eu l'air effrayée. Puis, prenant un air infiniment désolé, elle a soupiré :

– Oh là là...

– Tu as raison, Zouzou, ça fait TRÈS mal. Pauvre Marie-Ève...

On était impressionnés. Notre bébé chéri avait tout compris !

À propos de ma meilleure amie, je voulais prendre de ses nouvelles. Je l'ai rejointe sur le cell de son père. Ils étaient allés à la pharmacie. La crème recommandée par la pharmacienne était efficace. Bon, il n'est même pas 20 h et Caro dort déjà au milieu de ses cochons. Moi aussi, cher journal, je tombe de sommeil. Pas étonnant quand on a passé la journée dans l'eau. À demain !

Lundi 6 septembre

Journée de congé !

Ce matin, on est partis se promener. Pas au parc, sinon Zoé aurait voulu voir les canards. Chaque fois que l'on y va, Cannelle, qui est d'un naturel paisible, tire sur sa laisse et aboie comme une enragée dès qu'elle aperçoit ces volatiles. En passant par la rue de Salm, derrière chez nous, mon père a pointé du doigt une pancarte *À vendre* surmontée de l'inscription *Vendu*. Il a dit :
– Cette maison était vide depuis quelque temps. Nous allons avoir de nouveaux voisins, côté jardin.

Sur le sentier qui longe la Rivière-des-Prairies, on a croisé la famille Bergeron. Marie-Capucine s'est écriée :
– Tu viens bientôt nous garder, Alice ?
– C'est vrai, a dit sa maman. Nous devions en reparler quand tu aurais 11 ans.
– Maintenant, je les ai ! ai-je fièrement annoncé.
– Écoute, ça fait une éternité que nous ne sommes pas allés au cinéma, Ulysse et moi. Pourrais-tu garder les enfants samedi soir ?
– Avec plaisir.

Mes parents ont accepté. Coool !
– Toi, tu as quel âze ? a demandé Marie-Capucine à Caroline.
– 8 ans, 3 mois et 29 jours.

La fillette semblait vachement impressionnée. Moi aussi, mais pas pour la même raison. Je pensais que ma sœur avait abandonné sa manie de calculer son âge au jour près. Eh bien, je m'étais trompée.

15 h 33. J'ai appelé Marie-Ève. Après avoir parlé de la fête de Jade, je lui ai demandé qui serait la suivante (parmi nos amies) à avoir son anniversaire.
– Catherine Frontenac. Elle aura 12 ans le 29 novembre.
– C'est vrai !

Après avoir raccroché, une idée m'est venue : établir la liste des dates d'anniversaire de mes amies. Et, tant qu'à y être, des membres de ma famille. Comme ça je n'oublierai plus personne.

Audrey ♥ 3 janvier
Grand-maman Francine ♥ 20 janvier
Mamie Juliette ♥ 10 février
Catherine Provencher ♥ 7 mars
Maman ♥ 26 mars
Marie-Ève ♥ 15 avril
Africa ♥ 22 avril
Caroline ♥ 8 mai
Félix ♥ 4 juin
Oncle Alex ♥ 19 juillet
Grand-papa Benoît ♥ 23 juillet
Alice ♥ 15 août
Jade ♥ 6 septembre
Zoé ♥ 16 septembre
Lulu ♥ 8 octobre
Olivier ♥ 11 octobre
Catherine Frontenac ♥ 29 novembre
Karim ♥ 5 décembre
Quentin ♥ 18 décembre
Papa ♥ 30 décembre
Emma ♥ 31 décembre

Zut, j'ai oublié d'inscrire Kelly-Ann et Violette. Mais je ne connais pas la date de leur fête.

19 h 40. Mamie m'a aidée à réviser mon anglais. Avec elle, je retiens tous les mots (incroyable mais vrai !). Si chaque lundi soir elle me donnait un coup de pouce, je progresserais et Cruella ne réussirait pas à me faire doubler. Mais ma grand-mère repart dans quelques jours. Elle, qui parle français, flamand, anglais, allemand et italien, m'a dit qu'elle rêvait d'apprendre l'espagnol.
– C'est un de mes projets pour la retraite, a-t-elle précisé. Je séjournerai quelques mois en Espagne, car pour apprendre une langue, rien de tel que la pratique.
Elle est cool, ma mamie !

Mardi 7 septembre

Ce matin, après avoir mis mes boucles d'oreilles, j'ai longuement brossé mes cheveux pour essayer de leur donner un semblant de volume. Dans la cuisine, maman n'était pas en pyjama comme d'habitude. La petite robe dénichée au *Big Bazar* lui allait comme un gant. Elle avait relevé ses longs cheveux blonds en chignon. Elle s'était mise tout élégante non pas pour une photo de classe, comme Caro et moi, mais afin de souligner un grand jour. Après un an de congé de maternité, elle reprenait le chemin de son bureau.

Mes parents sont montés dans la fourgonnette avec Zoé. Direction la garderie. Ensuite, ma mère devait déposer mon père au métro avant de filer à Laval. Caro et moi, on est parties à pied à l'école avec mamie. Pendant le déjeuner, j'avais dû négocier serré avec ma sœur. Je lui avais expliqué :
– Pour la photo de classe, j'ai envie d'être bien coiffée. Si on met notre casque, on aura les cheveux raplapla. Demain, je te le promets, on retournera en bicyclette.
Caro avait râlé, pour la forme. Mais lorsque mamie lui avait proposé de nous accompagner à pied, ma sœur avait accepté.

Audrey et Éléonore papotaient sous l'érable. Cette dernière portait un tee-shirt hyper mode, un legging noir, une jupe courte couleur prune et des ballerines brillantes de la même teinte. Ses cheveux avaient été lissés au fer, et elle s'était mis du mascara. Tout à coup, elle a fixé les pieds d'Emma qui arrivait. La nouvelle arborait ses baskets jaunes. Éléonore lui a demandé :
– Tu veux paraître cool ? C'est pour ça que tu mets des bas qui ne sont pas assortis ?
– Cool ? a répété Emma, étonnée. Non. Je ne trouvais pas le jumeau de mon bas vert, ce matin. Comme je n'avais pas le temps de fouiller parmi les bas de Justin, Valentin et Benjamin, j'ai pris le premier qui m'est tombé sous la main : un noir. Lui aussi était seul.
– Tu as oublié que c'est la séance de photos, aujourd'hui ?
– Non, pourquoi ?

Emma Shapiro ne possède aucune notion sur la façon de s'habiller avec classe pour une occasion particulière, mais ça semble être le dernier de ses soucis.

Sortant une boîte ronde de son sac, elle a déroulé de la gomme rose et nous en a offert.

– On n'a pas le droit de mâcher de la gomme, l'a avertie Éléonore.

Un article du code de l'école nous l'interdit, en effet, ce qui ne nous empêche pas de chiquer régulièrement dans la cour. Sous l'œil désapprobateur de Miss Parfaite, Emma et moi, on a commencé à faire un concours de bulles. J'imagine qu'elle doit en faire régulièrement avec ses frères, car c'est une pro. Moi, même si je n'ai pas autant d'expérience, j'ai vite trouvé le bon truc : souffler douuuucement et rééééguIièrement. Et ma bulle s'est mise à groooossir, groooossir, groooossir. Tellement qu'à travers la gomme, j'apercevais tout en rose : le tronc de l'arbre comme mes amies qui me dévisageaient, ébahies.

À cet instant, Gigi Foster a fait irruption dans mon champ de vision. Avant que j'aie eu le temps de réaliser quoi que ce soit, elle avait crevé ma méga-bulle !

– Oh non ! a gémi Audrey.

– Gigi, pourquoi tu as fait ça ?! a protesté Emma. C'est pas malin !

Mon ennemie publique n'a pas daigné répondre. La gomme s'était plaquée comme un masque épousant mon visage et mes paupières. Ma peau me tirait et je n'y voyais plus rien. J'ai essayé d'ôter cette scrogneugneu de pellicule mais sans succès. Mes doigts étaient désormais tout collants. Et de toute évidence, je me suis retrouvée au centre d'un attroupement. Chacun y allait de ses commentaires et de ses conseils.

– Il faudra te couper les cheveux, a déclaré une fille d'un ton fataliste. (Était-ce Brianne ? ou Billie ?)

Quant à Audrey, elle a dit :

– Si jamais on doit te les raser, cela te permettra de participer au Défi têtes rasées Leucan et d'amasser des fonds pour la cause des enfants atteints du cancer.

Avoir le cancer, c'est terrible, cher journal, un milliard de fois plus terrible que ce qui m'arrivait. Mais pour le moment, je n'avais pas la tête à compatir. Je ne désirais qu'une chose (ou plutôt deux) :

1. ôter cette gomme qui me collait comme une seconde peau ;
2. conserver mes cheveux que j'essayais désespérément de faire allonger. Car si Cindy devait les couper tout court, au rythme où ils poussent, jamais je ne les aurais longs avant la fin du secondaire… J'en aurais pleuré de rage.

– Alice, c'est toi ?!!! a demandé Marie-Ève qui s'était soudain matérialisée à mes côtés. Que t'est-il arrivé ?

Comme je pouvais difficilement parler, Emma l'a mise au courant. Ma meilleure amie a pris les choses en main. Elle m'a conduite à la salle de bain. Délicatement, elle a réussi à tout enlever ou presque. Mon visage était marqué de plaques rouges.

– Je serai affreuse sur les photos !
– La séance photo des 6e est prévue pour 11 h. D'ici là, l'irritation aura disparu.

Je lui ai fait confiance : après tout, elle était la fille d'une esthéticienne.

En fin de matinée, alors qu'on s'apprêtait à descendre dans la grande salle, je me suis éclipsée aux toilettes. Comme l'avait prédit Marie-Ève, il n'y avait plus trace du méfait de JJF. Après avoir brossé mes cheveux, je suis allée retrouver les autres qui attendaient leur tour pour se faire tirer le portrait. Sortant un paquet de gommes de sa poche, Chloé m'a demandé d'un air sarcastique :
– Tu en veux une ? Au cas où tu aimerais te refaire un masque de beauté juste avant la photo…

À côté d'elle, Gigi s'est esclaffée. Je déteste qu'on se moque de moi. Et devant tout le monde, c'est encore plus blessant. J'allais répliquer quand Africa m'a devancée :
– C'est pas drôle ! La plaisanterie a assez duré !

En plus de la photo individuelle, j'ai dû rester pour celle avec ma sœur. Lorsque j'ai rejoint les filles de notre table à la cafétéria, elles étaient en pleine effervescence. Car la 3e saison de *Samantha et les colocs* débutait ce soir. Je ne partageais pas vraiment leur enthousiasme. Caro et moi, on n'a pas le droit d'allumer la télé en semaine. De plus, selon ma mère, les téléséries ne conviennent pas aux jeunes du primaire.

À mon retour à la maison, j'ai glissé un mot à mamie Juliette au sujet de notre téléserie préférée. Elle a dit :
– Je m'en occupe, ma cocotte.

Maman est rentrée une heure plus tard. Après avoir pris des nouvelles de sa première journée de travail, mamie lui a annoncé qu'elle regarderait l'épisode de *Samantha et ses colocs* avec moi, ce soir.
– Et avec moi, a dit Caro.

Moumou a froncé les sourcils.
– Caroline, ce n'est vraiment pas…

L'interrompant, mamie a si bien plaidé notre cause que maman a fini par capituler.
– C'est bon pour une fois, a-t-elle déclaré. À condition que le travail scolaire soit terminé, que votre sac d'école soit prêt pour demain, que vous ayez déjà brossé vos dents et pris votre douche… Avant de regarder Samantha et ses colocs,

Etc., etc. les 12 travaux, non pas d'Astérix, mais bien d'Alix et de Carolix!!!

20 h 40. À 19 h 55, on était prêtes. On s'était à peine calées dans le sofa du sous-sol que l'émission a commencé. Samantha se préparait à sortir pour rejoindre ses amis au centre-ville lorsque ma mère est arrivée.
– C'est bien ? nous a-t-elle demandé.
– Oui mais chuuut ! a répondu Caro.
– Tu es sûre, maman, que ça convient pour Caroline ?
– Oui, oui…, a fait mamie, distraitement.

Moumou est restée debout à côté du sofa. Sans aucun ménagement, ma sœur lui a lancé :

– Assieds-toi ou va-t'en, mais ne reste pas plantée là !
– Parle-moi sur un autre ton, s'il te plaît !

Mamie Juliette a fait descendre Cannelle du sofa pour laisser de la place à maman.
– Merci, mais juste pour deux minutes.

Crois-moi, crois-moi pas, cher journal, Astrid Vermeulen a écouté l'émission jusqu'à la fin !!! Lorsque mamie lui a demandé si elle avait aimé ça, elle lui a répondu que c'était pas mal. Moi, pleine d'enthousiasme, j'ai eu le malheur de lancer que j'avais hâte au prochain épisode.
– Ne vous imaginez tout de même pas, les filles, que vous regarderez la télé chaque mardi ! a rétorqué maman.
– Ben oui, justement ! a riposté Caro. Jessica et Béatrice la suivent aussi, cette télésérie.

Astrid Vermeulen a coupé court à la discussion.
– Maintenant, au lit !

Si je voulais avoir la moindre chance d'apprendre, mardi prochain, ce qui s'était passé après que Liam eut claqué la porte de l'appartement, je devais me plier aux conditions de ma mère. J'allais me mettre au lit, comme elle le demandait (mais je comptais bien rallumer ma lampe de chevet, une fois Caro endormie, pour te raconter la fin de la soirée).

Mercredi 8 septembre

À l'école, la matinée a commencé par trois présentations. Eduardo nous a parlé du métier de son père, qui n'est pas souvent à la maison parce qu'il passe son temps sur les routes. Je savais déjà qu'il était camionneur. Eddy a raconté qu'un jour, il l'accompagnerait à travers le Canada et les États-Unis. Ça m'a fait rêver. Son père est une sorte d'aventurier, un peu comme mon oncle Alex.

Stanley, lui, est passionné de sports : le hockey mais aussi le soccer. Quant à Emma, elle avait choisi de nous présenter les différentes collections réunies par les membres de sa famille.

- Son arrière-arrière grand-mère a une collection de théières.
- Sa mère a accumulé près d'une centaine de jeux de société. Le lundi soir, paraît-il, c'est sacré : ils jouent toujours au Monopoly et compagnie après le souper. Parfois, ça se termine très tard.
- Son père collectionne les fossiles.
- Justin, l'aîné de ses frères qui a 20 ans, possède une collection de livres sur la montagne.
- Valentin, 18 ans, accumule les trophées de patinage de vitesse.
- Et Benjamin, 16 ans, collectionne les araignées.

– Des *images* d'araignées ? a demandé Audrey d'un air horrifié.
– Non, des vraies. Il y en a partout dans sa chambre.
– Elles sont mortes ? l'a questionnée Eduardo. Épinglées dans des cadres ?
– Non, heureusement, elles sont vivantes et en pleine forme.

Après avoir vu nos têtes effarées, Emma a précisé :
– Benjamin garde ses petites chéries dans des vivariums. Ce sont de grandes boîtes en verre qui ressemblent à des aquariums.
– Il a des mygales ? s'est informé Jonathan.
– Deux.
– Cool ! s'est écrié Patrick. Elles vont se reproduire. Des bébés mygales courront bientôt partout dans votre maison. Juste à temps pour organiser un super party d'Halloween !
– Désolée de te décevoir, Patrick. Douce et Moka sont des femelles. Nous ne serons donc pas envahis par les mygales.
– Ton frère a aussi des tarentules ? s'est enquise Gigi Foster.
– Oui. Ainsi qu'une araignée du bananier et plusieurs autres. Il a également un scorpion et un serpent. Et des souris pour nourrir son serpent.

Quelle horreur !

Les questions ont fusé de toutes parts.

– Un des animaux de Benjamin s'est-il déjà enfui dans la maison ?
– Son serpent est-il venimeux ?
– Que mange le scorpion ?

– Et tu oses entrer dans la chambre de ton frère ?!
– Tu ne fais jamais de cauchemar ? (Comme tu t'en doutes, cher journal, c'est moi qui lui ai demandé ça.)

Emma a répondu à tous. Puis, madame Robinson l'a interrogée à son tour :
– Et toi, possèdes-tu une collection ?
– Oui, j'ai des Barbie.
Plusieurs se sont regardés d'un air consterné. Patrick, Eduardo et Stanley ont explosé de rire. Madame Robinson les a rappelés à l'ordre.
– Les garçons, laissez parler Emma, s'il vous plaît !
– Je ne joue plus avec mes poupées, a précisé cette dernière. Mais elles se trouvent toujours dans ma garde-robe.
J'étais gênée pour elle. Avoir osé avouer, en 6e, qu'elle avait toujours ses Barbie dans sa chambre, c'est la honte totale. Lorsqu'on arrive à la fin du primaire, notre collection de Barbie ou de Bratz (car nous en avons presque toutes eu une) fait partie des sujets tabous. Soit on s'en est débarrassée depuis belle lurette auprès d'une jeune cousine, soit on l'a planquée au sous-sol.

Emma nous a annoncé :
– Je collectionne également les magazines de pelles mécaniques.
– WOW ! a lancé Jonathan, à nouveau intéressé.
– Toi aussi, tu aimerais devenir ingénieur, plus tard ? s'est informé Bohumil.
– Pas du tout.

– Tu veux dire que cette collection appartient à un de tes frères ? a demandé Violette.
– Non, c'est la mienne.
– Et tu les *lis* !? s'est exclamée Marie-Ève.
– Je ne lis que les légendes des photos. Chaque fois qu'un nouveau numéro arrive chez moi, je le feuillette sur la toilette. Et ensuite, je le prête à mon frère.
– À Benjamin ?
– Non, à Valentin.

Emma Shapiro est comme ma mère, cher journal : elle lit sur le trône. Si c'était mon cas, jamais, au grand jamais, je ne le révélerais en classe ! Mais décidément, Emma, la gêne, elle ne connaît pas.
– Je ne comprends pas pourquoi tu t'es abonnée, a lâché Audrey, qui semblait perturbée.
– C'était gratuit, a répondu Emma, comme si c'était une raison convaincante pour souscrire à un abonnement de magazine d'engins de construction lorsqu'on est une fille du primaire.
– Tu ne préférerais pas lire le *MégaStar* ? a dit Marie-Ève.
– C'est quoi ?

Hein, cette fille ne connaît pas le magazine le plus populaire au Québec ?! Maintenant, c'est une certitude : Emma Shapiro vient du fin fond du cosmos. Sa soucoupe volante a atterri fin août à Montréal.

Jeudi 9 septembre

Ce matin, dans la cour, Eduardo et Patrick parlaient fort. Eduardo semblait mimer des choses puis les deux éclataient de rire. Je n'y aurais pas porté attention si mon oreille n'avait capté un mot, ou plutôt un nom: «*Les Zarchinuls*».

M'approchant d'eux, je leur ai dit:

– Salut! Le nouvel album des *Zarchinuls* est paru?

– Pas encore, a répondu Patrick. Sa sortie est prévue pour le mois de novembre. Mais hier, on a regardé leur première capsule Web.

– Une émission qu'on peut visionner sur Internet?

– On ne peut rien te cacher, Alice. Mais quoi, tu aimes *Les Zarchinuls*?! Toi et les autres filles, vous prenez des mines offensées dès que je fais la moindre blague…

– *Les Zarchinuls,* c'est comique!

– Mes blagues aussi.

Bof, pas toujours. Eduardo, qui avait hâte de se débarrasser de moi, a conclu:

– La webémission, tu la trouveras sur le site des *Zarchinuls.*

En fin d'après-midi, j'avais presque fini mes devoirs lorsque j'ai repensé aux *Zarchinuls*. Sur mon iPod, j'ai trouvé la page d'accueil de leur site. Une fenêtre annonçait: «Retrouvez vos personnages préférés dans des capsules désopilantes. Attachez vos ceintures!» J'ai cliqué sur le lien. Zébulon, Zelda et leur incroyable famille se sont animés devant mes yeux. Quelque 8 secondes plus tard, je pouffais de rire, au bout de 30 secondes, j'étais crampée et après 90 secondes, c'était fini.

Mamie est venue me trouver. Elle aimerait rapporter un petit cadeau du Québec à Lulu et Quentin.

– As-tu une idée, Alice ?

TILT !

– *Les Zarchinuls !* C'est une bande dessinée tordante. Ils vont adorer.

Après le souper, on s'est rendues à la librairie pour acheter les deux premiers tomes.

Vendredi 10 septembre

Dernier jour avec mamie Juliette. Snif. Dans 24 heures exactement, son avion s'envolera et la ramènera en Belgique. Cet après-midi, elle est passée prendre Zoé à la garderie et ensuite, elles sont venues nous attendre toutes les deux à la sortie de l'école. Autre surprise : elle avait fait le ménage de toute la maison. Pour aider mes parents et en particulier maman qui n'a pas une minute à elle depuis son retour au travail. Chère, chère mamie Juliette, tu vas nous manquer. On t'aime gros comme ça !

19 h 45. Papa était rentré tôt pour préparer un barbecue du tonnerre. Maman avait acheté une tarte à l'érable. Nous avons mangé sur la terrasse.

Samedi 11 septembre

Caro et moi, on s'est assises sur le lit de la chambre d'amis pendant que mamie Juliette faisait sa valise. Je n'ai rien dit mais, entre nous, cher journal, je ne trouve pas ça très prudent de voyager en avion un 11 septembre. Je sais qu'avant ma naissance, des terroristes ont détourné quatre avions le 11 septembre 2001. Ils se sont écrasés, dont deux sur les tours jumelles du World Trade Center, à New York. Les passagers sont bien sûr tous décédés. Il y a eu également des milliers de morts parmi les gens qui travaillaient dans ces gratte-ciel qui se sont effondrés. Parmi les pompiers aussi, on a compté de nombreuses victimes. J'espère que ce 11 septembre-ci sera une journée paisible. Et que demain matin, l'avion de ma mamie atterrira sans problème à Zaventem.

12 h 40. Dernier repas avec mamie… Ouinnǹnnnnnnn!

16 h 46. Vers 14 h, ses bagages se trouvaient dans l'entrée. Elle a fait ses adieux à Cannelle. Elles s'entendaient bien, toutes les deux. Puis, on s'est dirigés vers l'aéroport. On avait tous de la peine que ma grand-mère s'en aille. Au moment de nous quitter, mamie était émue, elle aussi. Lorsqu'elle m'a serrée dans ses bras, je n'ai pu retenir un sanglot. On riait et on pleurait en même temps. Mamie a dû faire la file. Après nous avoir envoyé un dernier baiser du bout des doigts, elle a disparu par la porte des douanes.

Snif, snif…

Durant le trajet vers la maison, j'ai pensé: « pourquoi les meilleurs moments ont-ils une fin ? Pourquoi arrive-t-on toujours au jour du départ ? » Comme pour me consoler, des points positifs ont fusé dans mon esprit:

- ♥ Mamie est encore jeune.
- ♥ Elle est en bonne santé.
- ♥ Normalement, elle vivra encore très longtemps.
- ♥ J'ai eu de la chance de passer deux mois en sa compagnie à Bruxelles, à Paris, à Montréal et même à Covey Hill.
- ♥ On s'est promis de se retrouver l'été prochain.
- ♥ On a rendez-vous avec elle demain, sur Skype, pour savoir comment a été son voyage.

Dans quelques minutes, je m'apprête à partir chez Marie-Capucine et Jean-Sébastien. À demain, cher journal, pour te confier cette première expérience d'Alice, super gardienne !

Dimanche 12 septembre

Mamie Juliette est arrivée à bon port. La maison paraît un peu vide sans elle. Zouzou nous a demandé: « amie ? » (Traduction: « Où est mamie ? ») Pour changer de sujet, je brûle d'impatience de te raconter ma soirée d'hier. Donc, à 17 h 25, après que maman m'eut fait un million de recommandations, je suis sortie, j'ai traversé la rue, et j'ai marché jusque chez les Bergeron. J'allais sonner quand la porte s'est ouverte. Marie-Capucine s'est jetée dans mes bras en s'écriant:

– Alice!

D'après son père, ça faisait dix minutes qu'elle était postée devant la fenêtre du salon, pour être sûre de me voir arriver. Quelle chance de tomber sur un enfant si enthousiaste à l'idée de se faire garder! Me tirant par le bras, la fillette m'a demandé:

– Viens zouer!

– Un instant, Marie-Capucine, lui a dit sa mère. J'ai des choses à expliquer à Alice avant de partir.

Après m'avoir donné les consignes nécessaires, madame Bergeron et son conjoint se sont éclipsés. Jean-Sébastien s'est mis à faire rouler son autobus scolaire en plastique. Marie-Capucine, elle, voulait qu'on «zoue» avec son château de princesse. Mais dès que je déplaçais une figurine, elle me reprenait:

– Non, pas comme ça! La princesse, elle peut pas descendre au parc du sâteau. Elle reste dans le donzon. Elle est prisonnière! C'est le sevalier qui doit la délivrer.

J'ai fait galoper le chevalier. Marie-Capucine m'a arrêtée:

– C'est la fée qui va dire au sevalier que la princesse est prisonnière.

– Vas-y! Comme tu as la fée, tu peux annoncer la nouvelle au chevalier.

– C'est pas si simple!

Effectivement, je le réalisais…

La petite fille a poursuivi :
– Pour rezoindre le sevalier, la fée doit traverser un océan et une ziiigantesque forêt. Ensuite, elle doit franssir un volcan. Et puis, c'est pas tout…

Moi, j'en avais déjà plus qu'assez de cette princesse qui se morfondait dans son « donzon »…

Le téléphone a sonné. C'était maman. Elle voulait savoir si on n'avait pas été pris en otage par des bandits masqués, si la cuisine n'était pas en flammes, si Jean-Sébastien ne s'étouffait pas avec un grain de raisin… Je l'ai rassurée : tout était sous contrôle (à part pour la princesse).

Il était temps de mettre Jean-Sébastien au lit. Mais auparavant : opération couche. Fiou… elle ne contenait qu'un pipi. Ensuite, le petit garçon s'est couché sans rechigner, son éléphant en peluche serré contre lui. Marie-Capucine m'a entraînée vers sa chambre. Elle m'a fait admirer son lit à baldaquin avec un voilage et une housse de couette rose.
– Z'ai une sambre de princesse !
– Tu en as de la chance ! Aimerais-tu que je te raconte une histoire ?
– Oui, *Blance-Neize* !

Lorsque j'ai eu terminé, elle m'a demandé :
– Encore !
Puis encore.
– Il est l'heure de se coucher, Marie-Capucine. Je t'ai déjà lu deux fois *Blanche-Neige*.

– Oui, mais Olivia, elle racontait touzours trois histoires.
– Olivia ?
– Notre gardienne, quand on habitait à Blainville.

Bref, après avoir lu 3 X *Blance-Neize,* j'avais une overdose. D'autant plus que je n'aime pas les princes charmants. Ils aperçoivent une inconnue de dos pendant trois secondes et sont terrassés par l'amour. L'unique but de leur quête : l'épouser. C'est consternant. Et le pire, qui me donnait une vague envie de pleurer quand j'étais petite, c'est que Blanche-Neige abandonne sans l'ombre d'un remords les nains qui se sont montrés si accueillants, pour suivre cet illustre inconnu. Elle a eu de la chance qu'il ne s'agisse pas d'un traître à la solde de la reine ni d'un tueur en série.

Cher journal, j'ai un autre point en commun avec Gigi Foster qui déteste les histoires de princesses ! Mais bien sûr, je ne le lui dirai pas.

Lorsque les parents de Marie-Capucine sont rentrés, ils m'ont donné 30 $. Ça, c'est super.

Lundi 13 septembre

À la récré, j'ai raconté ma première soirée de gardiennage.
– As-tu suivi la formation *Gardiens avertis* ? m'a demandé Éléonore.

– Non.
– Moi, je vais m'y inscrire. Je veux être bien formée avant de commencer à garder.
– Je ne possède peut-être pas de diplôme, mais j'ai de l'expérience, lui ai-je expliqué. Il m'arrive de garder mes sœurs.

Puis la conversation s'est inévitablement orientée vers l'argent de poche.
– Je reçois 10 $ par semaine. (Jade)
– Moi aussi. (Patrick)
– Ma mère me donne cette somme-là chaque mois. (Africa)
– Je reçois de l'argent chaque fois que j'obtiens de bonnes notes : 1 $ pour un 8/10, 2 $ pour un 9/10, et 5 $ quand j'ai 10/10. (Audrey)
– Moi, j'en touche quand j'ai un bon bulletin. (Catherine Provencher et Violette)
– Avant et après l'école, je vais promener les deux chiens de mon voisin qui s'est cassé la jambe. Il me paye 35 $ par semaine. (Eduardo)

– C'est moi qui tonds la pelouse et qui ratisse les feuilles. Ainsi, je gagne 20 $ par semaine. (Bohumil)
– Mes sœurs et moi, on aide aussi nos parents, a dit Hugo. Mais ils ne nous donnent pas d'argent de poche. Pour eux, c'est normal que chaque membre de la famille participe aux travaux ménagers. Par contre, je reçois de l'argent à Noël.

« Je suis dans la même situation qu'Hugo, ai-je songé. Je n'ai jamais pensé demander de l'argent de poche. Mais maintenant, j'en gagne et ça me plaît. »
– Depuis que Justin a son permis, a raconté Emma qui venait de se joindre à notre petit groupe, il me conduit à l'épicerie pour y apporter les cannettes et bouteilles recyclables et je peux garder la monnaie.

Sur le chemin du retour, Caroline et moi, on a fait un crochet par le dépanneur. J'ai acheté le *MégaStar*. En couverture, Kevin Esposito me souriait. Le titre : *Nouveau tournage en vue*. Bon, ma sœur, à qui j'avais offert de se choisir une friandise, m'attendait près de la caisse, un chocolat blanc à la main. J'avais faim & soif. Mais comme je n'avais qu'un billet de 10 $ en main, il ne me resterait plus assez de $ pour un paquet de chips BBQ & une cannette de Citrobulles. J'ai opté pour les chips. Au moment où je payais, j'ai aperçu des contenants de liquide pour faire des bulles, à 1 $. TILT ! Il me restait juste assez pour en acheter un.

Caroline s'est réjouie.
– On va faire des bulles dans la cour !
– Désolée, mais je les garde pour un autre jour.
– Pourquoi ?!

Je lui ai fait part de mon idée. Du coup, elle en a eu une autre. On a déjà hâte d'être jeudi, cher journal ! Et comme je me sens d'humeur coquine, tu vas devoir patienter pendant trois jours pour savoir ce que ma sœur et moi, on manigance.

Je me suis installée sur le hamac au fond du jardin pour déguster mes chips à l'aise. Enfin à l'aise, c'est beaucoup dire. Cannelle me regardait avec un air de martyr. Mais les chips, c'est mauvais pour les chiens et je lui avais déjà donné un biscuit en forme d'os dont elle n'avait fait qu'une bouchée. J'ai ouvert mon *MégaStar*. Dans l'article principal, j'ai appris que Kevin Esposito jouera bientôt dans une comédie romantique qui se passera à Manhattan. Avec, devine qui, cher journal ? Lola Falbala ! TROP COOL. En attendant, j'irai voir le dernier film avec Kevin Esposito qui vient de sortir à Montréal. C'est la suite de *Cap sur la Voie lactée*.

Comédie romantique... Soupir. J'ai pensé à Karim. Ça fait presque trois semaines que je lui ai écrit. Autant dire une éternité. J'aimerais tant avoir de ses nouvelles. Quand me répondra-t-il ? Me répondra-t-il ?

Mardi 14 septembre

Hier soir, mes parents regardaient le téléjournal dans leur chambre. Sur l'écran, des milliers de gens manifestaient. Cette nuit, Caro et moi, on s'est retrouvées au milieu de la foule. Plusieurs manifestants scandaient : « Samantha, Samantha, *Samantha et ses colocs* ! » Nous avons repris ce slogan avec eux. Sur une affiche brandie par une ado, on pouvait lire : « Regarder Samantha, c'est un droit ! » Ma sœur et moi, on n'avait pas peur. Au contraire, on était solidaires avec les autres. Mais je ne me rappelle plus la suite.

Lorsque le réveille-matin a sonné, je me suis souvenue de mon rêve. TILT ! C'était ce soir que serait diffusé le 2e épisode de la 3e saison de *Samantha et ses colocs*. Et avec la complicité de Caro, j'ai mis une stratégie au point. Parce que, même si mamie n'était plus là pour défendre nos intérêts, on était prêtes à TOUT pour suivre cette télésérie trop géniale.

Maintenant qu'Éléonore ne fait plus partie de la classe, Audrey, qui est bilingue, a retrouvé son titre de chouchou no 1 de Cruella, du moins pour la 6e B. Les nouvelles sont toutes les deux bonnes en anglais. À mon avis, elles feront bientôt partie du peloton des chouchous. Moi, par contre, je ne risque pas de perdre mon titre de **shpoutz**... D'autant plus qu'à la fin du cours, la prof a fait un contrôle-surprise. Je m'attends à une mauvaise note.

Shpoutz un jour, shpoutz toujours...

Ce soir, Caro a débarrassé la table et j'ai rempli le lave-vaisselle. Nos devoirs étaient faits. Douche, pyjama, et à 19 h 55, on est discrètement descendues au sous-sol. On a allumé la télé. Après les annonces publicitaires, Samantha a fait son apparition. Elle avait à peine déclaré à Liam : « On a des choses à mettre au point ! », que des pas ont résonné dans l'escalier (pas celui menant à l'appart des colocs, non, le nôtre qui mène au sous-sol). Maman ! Oh non… M'apprêtant à livrer bataille, je rassemblais mes arguments. Mais je n'en ai pas eu besoin. En effet, sans dire un mot, moumou s'est assise avec Caro, Cannelle et moi.

Astrid Vermeulen qui a accepté qu'on regarde *Samantha et ses colocs*… C'est quasiment inespéré ! Je raconterai ça à mamie Juliette. Car c'est grâce à elle que nous avons gagné le droit de suivre, chaque mardi, la télésérie la plus populaire au Québec ! Chaque mardi ? Du moins, je l'espère… À suivre.

À la fête de Jade, avant l'épisode de la guêpe…

Mercredi 15 septembre

Une carte postale d'oncle Alex m'attendait à la maison. Elle représente le Kilimandjaro (le plus haut sommet d'Afrique).

Jeudi 16 septembre

Notre bébé chéri a un an ! Maman a passé la journée avec elle. Lorsque je suis rentrée de l'école, toutes deux se trouvaient au jardin. Zouzou était debout. Elle se tenait à la jambe de maman. Elle s'est écriée :
– Ayïïï ! (Traduction : Alice !)

Lâchant la jambe maternelle, elle a fait un pas avant de se laisser tomber sur son popotin. Poum ! Caroline, qui avait assisté à la scène, a questionné notre mère.
– Comment ça se fait qu'elle ne marche pas encore à un an ?!
– Prunelle trottinera bientôt. Chaque bébé se développe à son rythme. Biquette a marché à 11 mois et toi, à 10 mois. Mais votre petite sœur a commencé à parler plus tôt que vous. Et elle a déjà 13 dents.

En effet, Zouzou a plus de dents que de cheveux ! Son petit crâne, encore visible sous le duvet blond, sent si bon. Mmmmm… Enfin juste son petit crâne, car ses couches ne sentent pas la rose ! Caroline m'a fait un clin d'œil puis s'est éclipsée.

J'ai expliqué à Zoé :
– Comme cadeau d'anniversaire, on t'a préparé un spectacle.
Prenant un ton solennel, comme si on était au cirque, j'ai poursuivi :
– Voici Caroline Aubry, la championne du yoyo !
Caro a bondi sur la « scène ». Pour l'occasion, elle avait emprunté le costume de princesse scintillant que Jessica avait porté l'an dernier pour l'Halloween. Il était étriqué, mais ça n'avait aucune importance. Avec son yoyo, elle a fait une prestation impeccable. Zoé, fascinée, suivait le cylindre rose du regard, en haut, en bas, en haut, en bas... Lorsqu'elle a tendu la main pour l'attraper, Caro a dissimulé le yoyo derrière son dos et m'a présentée :
– Et maintenant, Alice Aubry, la magicienne des bulles !
J'ai ouvert le couvercle. Puis, j'ai soufflé dans le cercle de plastique d'où ont jailli de jolies bulles aux reflets irisés. Émerveillée, Zouzou s'est exclamée :
– Yé, yé !
Avant de réclamer :
– Cooo, cooo ! (Traduction : Encore, encore !)
Replongeant la tige dans le flacon, j'ai soufflé à nouveau. Un autre chapelet de bulles s'est envolé, pour la plus grande joie de notre bébé chéri. Caroline a chanté la chanson que madame Popovic leur a apprise, cette semaine. On a terminé le spectacle par une série de roues dans le jardin. Zoé, ravie, applaudissait. Quel succès ! Le repas de fête de notre petite sœur aura lieu samedi soir. Avec grand-maman Francine et grand-papa Benoît.

Vendredi 17 septembre

Big-Pru-Ciboulette !

Après le souper, maman m'a interpellée :
– Zo... euh... Car... Alice, tu m'accompagnes au supermarché ?
Moumou-la-distraite « patine » souvent pour trouver mon prénom. Des fois, comme ce soir, c'est « Zo-Car-Alice » ou « Car-Zo-Alice ». Quand ce n'est pas : « Pru-Cib-Biquette »... Heureusement que nous ne sommes que trois enfants dans notre famille et non 10 !

Car-Zo-Alice !

Cib-Big-Prunelle !

Al-Car-Zoé !

Zo-Al-Caroline ! Pru-Big-Ciboulette

Bref, on est allées faire les courses. Laissant moumou choisir les légumes, je suis allée chercher des céréales (tu te doutes, cher journal, que mon choix ne s'est pas porté sur les Crocolatos. Rien qu'en apercevant les boîtes, mon estomac a fait **SkwiZ**). Lorsque j'ai retrouvé ma mère, elle errait comme une âme en peine dans le supermarché, un carton de lait de soya en main. Elle avait égaré son chariot... Deux minutes plus tard, je l'avais repéré. Pauvre maman, elle est fort fatiguée. Et, du coup, de plus en plus distraite.

Samedi 18 septembre

On a préparé le souper en famille. Au menu : des tomates farcies. Mes grands-parents paternels sont arrivés. Alors qu'on s'assoyait à table, Caro a ouvert le frigo. Elle s'est écriée :

– Y'a *pus* de ketchup !

– Il me semblait bien que j'avais oublié quelque chose à l'épicerie, hier, a commenté maman.

Grand-maman s'est éclipsée un instant, dans l'entrée. À son retour, elle a tendu un bocal Masson à Miss Ketchup.

– J'ai une surprise pour toi, Caroline !

– Du ketchup maison ? Merci, Francine, tu nous gâtes ! a dit maman, ravie.

Ma sœur, par contre, n'avait pas l'air enthousiaste. À table, quand je lui ai passé le pot plein de moelleux morceaux de tomates, de céleri et d'oignons, elle s'en est servi une micro-cuillerée à laquelle elle n'a même pas touché. Pour elle, du ketchup, c'est lisse, c'est rouge et ça vient du supermarché. Sacrée Caro !

Plus tard, grand-papa a déposé devant Zoé (mais hors de portée de ses petites mains) le gâteau aux poires sur lequel était plantée une chandelle. On a entonné « Bonne fête, Zoé... ». Notre vedette du jour rayonnait. Elle a reçu deux livres en carton + une auto décapotable avec quatre personnages tout ronds que les grands bébés comme ma sœur peuvent insérer et ôter à leur guise. Maman aurait voulu lui offrir une nouvelle chenille musicale. En effet, la première avait rendu l'âme la semaine dernière (ou plus exactement, elle était devenue muette). Mais on n'en vend plus. Ce n'est pas moi qui m'en plaindrai !

Mardi 21 septembre

C'est l'automne !

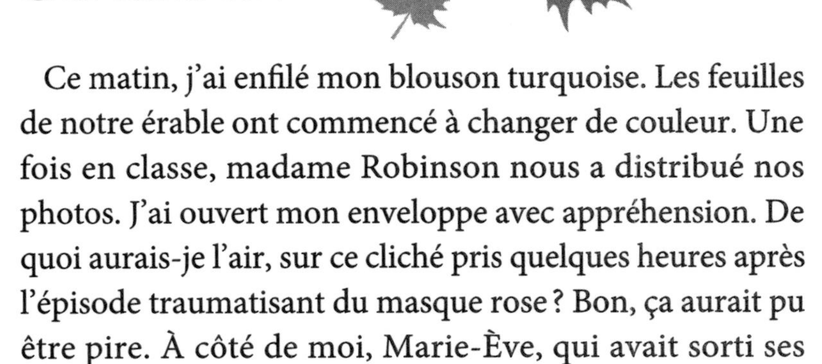

Ce matin, j'ai enfilé mon blouson turquoise. Les feuilles de notre érable ont commencé à changer de couleur. Une fois en classe, madame Robinson nous a distribué nos photos. J'ai ouvert mon enveloppe avec appréhension. De quoi aurais-je l'air, sur ce cliché pris quelques heures après l'épisode traumatisant du masque rose ? Bon, ça aurait pu être pire. À côté de moi, Marie-Ève, qui avait sorti ses photos elle aussi, a gémi :

– Oh… c'est affreux !!!

Se retournant vers elle, Audrey lui a dit :

– T'en fais pas, Maé… Si tu voyais la tête que j'ai sur les miennes !

Mais ma meilleure amie n'écoutait pas. Elle fixait sa photo d'un air horrifié. Je me suis penchée et… Ohhh… Au lieu de son joli visage, j'ai vu la face d'une créature **MONSTRUEUSE** ! Avec une peau visqueuse, couverte de pustules purulentes ainsi que trois yeux injectés de sang dont un louchait. Et, sur cette image répugnante, quelqu'un avait gribouillé au crayon-feutre brun de longs cheveux ondulés. Tout le monde s'est précipité pour voir. Arrachant l'image des mains de Marie-Ève, Jonathan a décrété :

– T'es quand même plus belle que ça.

– Merci ! a répondu Marie d'un ton acide.

Lorsqu'il a réussi à voir « la photo », Patrick s'est écrié :
– Je la trouve super, moi ! Tu me la donnes en souvenir ?

Mais Marie-Ève n'avait pas le cœur à rire. Dans un mouvement de colère, elle a déchiré l'image en deux puis en quatre et est allée jeter le tout à la poubelle.

Ensuite, elle s'en est prise à Pat.
– Je parie que c'est toi qui as fait cette blague stupide ! Où as-tu mis ma vraie photo ?

L'humoriste de la classe a nié farouchement y être pour quelque chose. Sur les autres photos du lot, c'était bien Marie-Ève et le cliché était réussi. Mais QUI avait remplacé son portrait par cette reproduction ignoble ? Ébranlée, elle aussi, madame Robinson nous a expliqué :
– Monsieur Rivet m'a remis les enveloppes de photos hier en fin d'après-midi. Je suis remontée en classe pour les déposer sur mon bureau. Puis, j'ai refermé la porte à clé.

Notre enseignante est au-dessus de tout soupçon. La seule personne ayant accès aux classes, le soir, est monsieur Gabor, le concierge. Mais il est gentil. Et ayant toute l'école à nettoyer, il n'a certainement pas de temps à perdre avec des niaiseries.

À la récré, Africa a donné son avis à Marie-Ève.
– Je crois Patrick. Il avait l'air sincère. Et d'ailleurs, seul un magicien aurait pu subtiliser ta photo dans une pièce fermée à clé.

Pour ma part, je n'étais pas sûre à 100 % que Patrick était innocent. Mais faute de preuves, on ne pouvait l'accuser.

– Toute cette histoire me fait penser au roman que nous lit madame Robinson, a déclaré Catherine Frontenac. Les deux garçons qui harcèlent Betty avec des animaux morts...

– Tu me donnes la chair de poule ! s'est écriée Marie-Ève. J'espère que le responsable de ce canular ne va pas continuer à me persécuter !

– Il FAUT élucider ce mystère, a décrété Jade.

On était bien d'accord. Mais comment ?

Toutes pensives, on s'est assises sous l'érable pour échanger nos petites photos. Sauf Audrey qui a refusé. Moi, je la trouvais bien sur son portrait, mais elle, elle se considérait comme affreusement moche.

Désignant la photo où Caro et moi, on souriait ensemble au photographe, Violette m'a demandé :

– C'est ta sœur ?

– Oui.

Apercevant Gigi Foster qui tendait le cou pour voir le cliché à son tour, je l'ai prestement rangé.

En remontant en classe, Jade m'a interpellée :

– Comme ça, toi aussi tu as été adoptée ?! Tu ne nous l'avais jamais dit.

J'ai manqué m'étouffer.

– Comment ça, adoptée ?!!! Pas du tout, je suis la fille de mon père et de ma mère !

– Ben, moi aussi ! a répliqué Jade, piquée au vif.

Ne sachant comment réparer ma gaffe, j'ai baragouiné :
– Excuse-moi. Ce n'est pas ce que je voulais dire. Enfin, papa et maman sont mes parents biologiques. Mais pourquoi t'imaginais-tu, tout à coup, que j'avais été adoptée ?
– C'est Gigi qui m'a raconté ça, a dit Jade en haussant les épaules. Mais je ne vois pas pourquoi tu as réagi de cette façon, Alice. Il n'y a pas de mal à être adoptée, quand même !
– Bien sûr que non ! Mais je ne suis pas adoptée. Je refuse que Gigi Foster propage des faussetés sur mon compte !
– Je comprends Alice, a dit Africa qui avait assisté à notre conversation. Un mensonge sur le lien qui nous unit à nos parents, c'est grave !
– Tu as raison, a reconnu Jade.

Une fois en haut, j'ai laissé les autres entrer en classe. Moi, j'attendais Gigi Foster de pied ferme. J'étais bien décidée à lui dire ses 4 vérités ! La voilà qui arrivait, encadrée par Magalie et Chloé. Lorsqu'elle m'a aperçue, JJF a pris son air narquois.

– Comme ça, ça t'amuse de répandre des rumeurs mensongères sur ma famille ? lui ai-je demandé.

– Des rumeurs… à ta place, je n'en serais pas si sûre. Regarde ta photo avec ta soi-disant sœur. Aujourd'hui, ça m'a frappée. Vous ne vous ressemblez vraiment pas ! Pas plus que moi je ne te ressemble. C'est évident que vous n'êtes pas de *vraies* sœurs. Si ce n'est pas toi qui as été adoptée, alors, c'est Caroline.

Se mêlant de la conversation, Chloé a insinué qu'on m'avait peut-être échangée par mégarde à la naissance.

– Ça arrive plus souvent qu'on le croit, dans les hôpitaux, a poursuivi l'amie de Gigi Foster. Tu as suivi *Samantha et ses colocs,* au printemps ?
– Évidemment.

Je mentais (en fait, je n'avais pu regarder qu'un épisode sur 12 de la 2e saison). Mais je n'avais aucune envie d'avouer à ces filles que, jusqu'à tout dernièrement, ma mère boycottait cette télésérie. Déjà que mon ennemie publique no 1 me prend pour un bébé…

Sortant la tête de la classe, madame Robinson nous a appelées, elle et moi. J'ai suivi la leçon de grammaire d'une oreille distraite, car les paroles de JJF et de Chloé avaient semé le doute dans mon esprit. Et si c'était vrai ? Mais non, la blonde Caro ressemble beaucoup à maman. Moi, j'ai les cheveux presque noirs, comme ceux de papa. Quant à Zoé, nos parents ont affirmé qu'elle était mon portrait tout craché lorsque j'étais bébé. Nous sommes donc bien les filles biologiques d'Astrid Vermeulen et de Marc Aubry.

À la fin de la matinée, je suis passée devant Gigi Foster qui prenait sa boîte à lunch dans son casier. Je lui ai dit :
– Des sœurs, qu'elles soient adoptées ou non, ce ne sont pas des copies conformes ! Mais c'est vrai que tu n'en sais rien. Tu n'as pas de sœur.

Même si j'étais encore sous le coup de la colère, je n'avais pas dit ça dans l'intention de la froisser. Ni pour me vanter d'en avoir, des sœurs. C'était une simple constatation. Cependant, le regard de Gigi Foster s'était durci.

Elle s'est dirigée vers l'escalier. Quoi, ce sujet la touchait ? Regrettait-elle d'être enfant unique ? Avait-elle toujours rêvé d'avoir une sœur ? Qu'est-ce que j'en savais, moi ?

Cet après-midi, Cruella nous a remis nos contrôles d'anglais. J'ai 7/20. Aïe. Pour ne pas compromettre la soirée *Samantha et ses colocs*, j'ai décidé d'attendre demain pour annoncer cette mauvaise nouvelle à mes parents.

21 h 18. Bref, peu avant 20 h, Caro, Cannelle et moi, on est descendues en douce au sous-sol. J'ai allumé la télé. C'est alors que maman nous a appelées.

– Les filles !

Nonnn, c'était trop beau pour être vrai… Cette journée serait nulle jusqu'au bout. On a fait la sourde oreille. Peine perdue, la trouble-fête est apparue en haut de l'escalier.

– Que faites-vous ?

La mort dans l'âme, je lui ai répondu :

– *Samantha et ses colocs* va commencer.

– Éteignez le téléviseur et montez !

Caro a obéi. J'étais étonnée qu'elle abandonne si vite la partie, sans même tenter de négocier.

– C'est TROP injuste ! me suis-je écriée. Je suis vraiment la seule fille de 6e à qui…

– Pourquoi tu chiales ? a demandé ma sœur. Ce sera mieux en haut.

– En haut…

– Ben oui, dans la chambre des parents !

– Tu crois que maman nous invite à regarder Samantha sur la grande télé ?!
– Oui ! Et dépêchons-nous sinon on va rater le début.
N'osant trop y croire, je me suis élancée à la suite de ma sœur, avec Cannelle sur les talons. Moumou, en pyjama, nous attendait sur son lit, adossée contre son oreiller. Sur l'écran, Samantha Wilson, en pyj elle aussi, se préparait un café. Caro et moi, on a filé chercher nos oreillers dans notre chambre. On s'installait de part et d'autre de maman lorsque Annabelle Lécuyer a fait irruption dans la cuisine des colocs.
– Samantha, tu ne devineras jamais ce qui m'est arrivé !

Trois quarts d'heure plus tard, dans notre chambre, j'ai dit à ma sœur qui venait de se coucher :
– Dire qu'il y a deux semaines, maman voulait encore nous interdire de regarder l'émission. Quelle chance qu'elle se soit convertie…
– C'est un vrai miracle, en effet ! Mais il n'y a que les sots qui ne changent pas d'avis ! a lancé ma sœur, reprenant là une expression de sa mère (qui est la mienne aussi).

Mercredi 22 septembre

La secrétaire est venue nous trouver sous l'érable.
– Marie-Ève, monsieur Rivet désire te voir à son bureau.
– Pourquoi ? a demandé mon amie, étonnée.
– Je n'en sais rien. Suis-moi, s'il te plaît.

Que voulait le directeur à Marie-Ève ? Bizarre. Je suis allée retrouver les 2 Catherine qui mangeaient leur collation avec Emma, Simon, Bohumil, Patrick et Eduardo.

Quelques minutes plus tard, ma meilleure amie nous a rejoints à grandes enjambées.
– Le coupable a été démasqué ! nous a-t-elle lancé.
– Quel coupable ? ai-je demandé.
– Celui qui a subtilisé ma photo pour la remplacer par le monstre !
– Et c'était qui ? s'est informé Eduardo.
– Le fils du photographe.
– Hein, comment ça ?!

Marie-Ève nous a expliqué :
– Le photographe a appelé monsieur Rivet, ce matin. Il avait retrouvé ma photo dans la chambre de son fils et lui avait demandé des explications. Son garçon de 8 ans voulait simplement jouer un tour… Le photographe était, paraît-il, sincèrement désolé. Il m'enverra mon portrait chez moi, par la poste. De plus, il refuse que mes parents paient le jeu de photos.
– C'est bien la moindre des choses ! s'est écriée Catherine Frontenac.
– Tu vois que ce n'était pas moi ! a déclaré Patrick.
– Le problème, Pat, c'est que tu nous taquines si souvent que parfois, on ne sait plus si on doit te croire ou non.
– Si c'était ma photo et non la tienne qui avait été remplacée par un monstre, je n'en aurais pas fait tout un drame. Mais je comprends que ce petit comique ait trouvé

plus *smart* de jouer un tour à la plus jolie fille de la classe plutôt qu'à un gars.

Marie-Ève a piqué un fard.

– Pat, voyons !!!

– *Paaat, voyonnns !!!* a répété Patrick Drolet en imitant (de façon exagérément aigüe) la voix de ma meilleure amie.

Reprenant sa voix normale, il lui a dit :

– Je blaguais.

Surprise, Marie-Ève ne savait plus sur quel pied danser.

Patrick a ajouté :

– Je te fais un compliment, tu es insultée. Je te dis alors que je plaisante. Et tu es déçue. Décidément, les filles, c'est compliqué.

La cloche a sonné. Simon regardait Marie-Ève en souriant. Lui, je suis sûre qu'il est 100 % d'accord avec l'affirmation de Patrick selon laquelle Marie-Ève est la plus belle de la classe. Et de l'école. Car les battements de cils d'Éléonore Marquis et le fait que, lorsqu'il est dans les parages, Miss Parfaite se passe voluptueusement la main dans ses longs cheveux, ne semblent avoir aucun effet sur lui. Marie-Ève a rendu son regard à Simon. Puis, lui faisant un clin d'œil, elle lui a lancé :

– À + !

Après plus de 7 mois de malentendus, de fausse indifférence, d'essais à la fois timides et courageux de Simon, de rebuffades de Marie-Ève, les voilà enfin réconciliés ! Pour une fois, je suis d'accord avec Patrick : on se complique parfois trop la vie.

Marie-Ève m'avait passé
une de ses photos et j'en ai
demandé une à Simon.
Je lui ai dit que je collectionnais
celles de tous mes amis.

Jeudi 23 septembre

Après le lunch, on est partis en transport en commun au Musée des beaux-arts. Avec madame Robinson, madame Pescador et sa classe, ainsi que Cruella. L'animateur nous a montré plusieurs œuvres québécoises et canadiennes, dont un spectaculaire canot décoré par le peintre Riopelle. La peinture que j'ai préférée ? Un paysage de Lawren Harris avec un lac étincelant.

Ha, ha, ha !

Pendant le trajet du retour en métro, Patrick nous a raconté des blagues de blondes. On était crampés de rire. Crucru a traversé la rame pour nous ordonner de nous calmer. Catherine Frontenac a pris une profonnnde respiration puis elle a bouché son nez. Trois secondes plus tard, elle a explosé de rire et c'était reparti ! Hé, hé, hé ! Hi, hi, hiiiii !!

Au moment où le métro entrait dans la station Henri-Bourassa, si madame Pescador ne nous avait pas rappelé qu'on descendait, plusieurs d'entre nous se seraient retrouvés à Laval. Comme mes amis, je me suis précipitée vers les portes. Quelqu'un a marché sur l'arrière de ma gougoune et je suis tombée. Aïe ! Je suis sortie à quatre pattes, épouvantée à l'idée que les portes se referment sur moi (la tête et les bras hors du wagon et l'autre moitié de mon corps à l'intérieur) et que le métro redémarre et s'enfonce dans le couloir obscur. Si ça avait été le cas, je serais morte !

Heureusement, rien de tout ça n'est arrivé. Je me suis retrouvée à quatre pattes sur le quai de la station. J'avais très mal aux genoux. Mes amis se sont précipités vers moi.

– Alice, ça va ?!

J'ai fait un petit « oui » de la tête. Kelly-Ann a constaté :

– Oh non ! Tu as perdu une sandale !

En effet, mon pied gauche était nu. Ma gougoune avait dû rester à l'intérieur du wagon. Dire qu'il s'agissait de mes gougounes chic ! Quelle malchance ! Même si c'est Catherine Frontenac qui me les avait offertes (avec l'autre Catherine), elle n'a pu s'empêcher de rire à nouveau. Réalisant le ridicule de la situation, j'ai été prise, moi aussi, d'un rire nerveux.

Au moment où je me relevais péniblement, des griffes se sont plantées dans mon épaule.

– Debout ! a aboyé Cruella. La prochaine fois que tu veux amuser la galerie en jouant au petit chien, choisis plutôt la récréation. *My goodness !* Je n'en reviens pas ! Même un élève de maternelle ne ferait pas ça. Cette fois, ton compte est bon, ma fille ! Ne sois pas étonnée si tu es renvoyée de l'école !

D'un geste de la main, j'ai essuyé mes larmes de rire (et de douleur) sur mes joues. Madame Pescador et madame Robinson sont accourues.

– Que s'est-il passé, Pétula ? a demandé cette dernière.

– Votre élève ne tient pas compte des règles de sécurité les plus élémentaires, Fanny ! Elle est sortie du wagon de métro en rampant et en riant sans porter attention au signal sonore annonçant la fermeture des portes ! Avec Alice Aubry, j'ai déjà tout vu, mais cette fois, c'est le comble !

Sa voix vibrait de colère. Les deux enseignantes de 6e m'ont dévisagée comme si elles m'apercevaient pour la première fois.
– Alice, pourquoi as-tu fait ça ? m'a demandé ma prof.
J'ai commencé à lui raconter ce qui s'était passé, mais Cruella m'a interrompue.
– Taratata ! Elle a toujours une explication à tout, cette fille. Mais ne vous fiez pas à elle, elle ment comme elle respire.
– Alice ?! s'est exclamée madame Pescador, choquée. Il n'y a pas plus agréable comme élève !
Mon enseignante, elle aussi, semblait tomber des nues.
– Je n'ai encore eu aucun ennui avec elle.
– Eh bien, vous en avez de la chance ! leur a répondu Cruella. Mais moi, depuis le temps que j'essaie en vain de lui inculquer les rudiments de l'anglais, je la connais. Et je vous assure qu'elle est fausse. Je dirais même plus, fourbe !
Brandissant son index comme si elle prédisait la fin du monde, Cruella a ajouté :
– L'année scolaire ne fait que commencer, Fanny ! D'ici peu, vous découvrirez la véritable nature d'Alice Aubry. Je vous aurai prévenue.
– Vous exagérez, Pétula !
– Pas le moindre du monde ! Demandez à monsieur Rivet ! Il en sait quelque chose, lui aussi. L'an dernier, j'ai été

obligée de le déranger dans son bureau à plusieurs reprises à cause de cette élève indisciplinée. Car Alice Aubry prend un malin plaisir à enfreindre le code de vie de l'école. Ces enfants-rois, ça se croit tout permis ! Je n'ai aucune idée de ce que ses parents en feront à l'adolescence. Mais moi, je m'en lave les mains !

Cruella au bord de la crise de nerfs !!!

C'est alors qu'Emma Shapiro a lancé :
– Vous êtes injuste, madame !
– Quoi ?!!!

Se tournant vers elle, Cruella s'est redressée, tel **un cobra royal** prêt à frapper sa proie.
– Ose répéter ce que tu viens de me dire !
– Vous êtes injuste, a redit Emma Shapiro d'un ton plus calme. Alice n'est pas telle que vous la décrivez.

Madame Robinson l'a rappelée à l'ordre :
– Un peu de respect pour ton enseignante, Emma !

Bohumil s'en est mêlé :
– Alice ne l'a pas fait exprès, tout à l'heure, a-t-il déclaré.
– Je l'ai vue trébucher, a renchéri Billie.

D'autres ont pris ma défense. Quel brouhaha ! On ne s'entendait plus.

Crucru était rouge brique. Elle respirait bruyamment, comme si elle venait de grimper la tour Eiffel au pas de course.

Madame Robinson a haussé la voix :
– Silence !

Puis, elle a pris sa collègue déchaînée par le bras.
– Venez, Pétula. Valentina, merci de t'occuper des élèves.
Et elle a entraîné la prof d'anglais vers l'escalier.

Madame Pescador (c'est elle, Valentina) m'a dit :
– Pauvre Alice ! Quel dommage qu'une si belle sortie tourne ainsi ! Mais je parlerai à monsieur Rivet, moi aussi.
Désignant mon genou écorché, elle m'a demandé :
– As-tu mal ?
– Oui.
Tandis que je la suivais en boitant, Éléonore m'a dit : 
– En tombant, tu as mis tes mains à terre. C'est dégoûtant !
Elle avait raison mais je n'y pouvais rien. Sortant un petit flacon de son sac, Miss Parfaite me l'a tendu.
– Tiens, du savon antiseptique.
– Merci !

– Au moins, tu n'as pas accouché sur le quai, a dit Catherine Frontenac.
– Comment ça, accouché ?!!!
– L'autre jour, chez mes grands-parents, comme il pleuvait, j'ai lu des vieux *Reader's Digest*. Un des articles racontait qu'une montréalaise se rendant en métro à l'hôpital était sortie quelques stations plus tôt parce qu'elle sentait son bébé arriver. Il est né sur le quai !
Elle est comique, Catherine ! Si j'avais accouché à 11 ans sur le quai du métro, je me serais certainement retrouvée dans le *Livre des records Guiness*… Cette histoire m'a

rappelé un autre bébé pressé : Zoé, qui avait failli faire son entrée dans le monde sur l'autoroute Décarie !

On est arrivées à l'école au moment où la cloche sonnait la fin des classes. Madame Pescador nous a ramenées en auto chez nous, Caroline et moi. Après avoir pris une douche, savonné vigoureusement mon pied gauche très sale et désinfecté mon genou droit, je me suis installée à mon bureau pour t'écrire, cher journal. Ah, j'entends maman qui rentre avec Zoé. Je vais aller les embrasser.

17 h 29. Maman a passé une journée exténuante. Une de ses nouvelles clientes, qui était mince, a voulu suivre un régime. Et une autre, obèse, a continué de grossir malgré tous ses efforts. En plus, elle a eu affaire, au téléphone, à un homme particulièrement désagréable. Bref, elle m'a demandé de m'occuper de Zoé le temps de faire couler un bain. Elle y marinait depuis quelques minutes quand elle s'est mise à chanter d'une voix lasse :

Non, je ne veux plus jamais travailler,
Plutôt crever.
Non, je n'irai plus jamais au supermarché,

Plutôt crever.

Non mais laissez-moi, non mais laissez-moi,
Manger ma banane.
Non mais laissez-moi, non mais laissez-moi,
Manger ma banane tout nu sur la plage.

J'étais mal à l'aise. D'abord le mot « crever » ne fait pas partie du vocabulaire de ma mère. En plus, ce n'est pas du tout le genre de refrain qu'elle fredonne d'habitude. Cette chanson, elle avait dû l'inventer, mais elle était tellement bizarre… Un doute m'a effleurée. Ma petite maman se dirigeait-elle droit vers un *burnout* ? Allait-elle décrocher ? Tout laisser tomber : boulot, famille ? J'espère que non.

20 h 15. Mes gougounes chic… Je suis triste d'en avoir perdu une. Au moins, la saison des sandales tire à sa fin. Et puis, elles auraient sans doute été trop petites l'été prochain. On se console comme on peut, cher journal. Je n'ai cependant pas eu le cœur de jeter la gougoune « orpheline ». Elle a atterri dans ma garde-robe, sur l'étagère où s'accumulent les choses qui ne me servent plus à rien mais que je garde en souvenir, au grand désespoir de ma mère.

Deux points positifs… décidément, je suis bien la fille d'Astrid Vermeulen !

20 h 32. Après cette fin de journée éprouvante, j'ai quand même une bonne nouvelle à partager avec toi, cher journal. Oncle Alex, qui est rentré du Kenya, nous rendra visite mardi. Les rares fois où on le voit, c'est toujours la fête.

Vendredi 24 septembre

Madame Robinson nous a demandé de chercher dans le dictionnaire la signification de 10 adjectifs puis d'inventer une phrase avec chacun d'eux. J'en étais au

9e : « pétulant ». Ça me faisait penser à quelque chose, mais à quoi ? Pétulant, pétulant… Pétula Fattal ! Il existait un adjectif ressemblant au prénom de Cruella, mais je n'avais aucune idée de ce qu'il voulait dire. Une personne pétulante pétait peut-être régulièrement ? Du style : « Patrick est pétulant. » Ou cet adjectif désignait-il celui ou celle qui prend les autres de haut ? Comme dans : « Éléonore, plus pétulante que jamais, considérait Emma et ses bas dépareillés avec dédain. » Ou encore quelqu'un de particulièrement désagréable. Oui, ça devait être ça ! Ouvrant mon dictionnaire à la lettre *P*, j'ai survolé les mots : « … pétoncle, pétrifier, pétrin, pétrir, pétrolier… » pour arriver à « pétulant ». Définition : *qui manifeste une ardeur exubérante. Voir fougueux, impétueux, turbulent, vif.* Raté ! Pétula Fattal n'a rien de *pétulant*. Encore que…

Réalisant dans quelle situation la pétulance de ma prof d'anglais se manifestait, j'ai eu envie de noter dans mon cahier : « Pétula était pleine d'entrain, ce matin. Elle avait pris Alice Aubry sur le fait. Cette élève indomptable avait osé enfreindre l'article 7289 du code de vie de l'école : elle avait éternué en classe. Quel scandale !!! Pétula désirait lui infliger une punition **exemplaire** afin qu'un tel comportement qui nuirait à la réputation de l'école des Érables ne se reproduise pas. Elle réfléchissait. Quand il s'agissait de sévir envers sa shpoutz, Pétula était pétulante ! Frétillant d'impatience, elle a traîné la coupable par l'oreille

Atchoum !

vers le bureau du directeur... » Bon, assez divagué. Dans mon cahier, j'ai recopié la définition et les synonymes de « pétulant ». Et, comme phrase, j'ai prudemment écrit :

« *Debout sur son skate-board, le pétulant Jonathan dévalait une pente vertigineuse.* »

Ce soir, après avoir glissé le pâté chinois dans le four, papa est sorti au jardin avec mes sœurs. Maman, elle, s'était effondrée sur le sofa. On aurait dit une baleine échouée sur une plage. (Disons que la comparaison est mal choisie parce que ma mère, qui est mince, ne ressemble en rien à un monumental cétacé... Enfin, tu as compris ce que je voulais dire, cher journal.) Je lui ai demandé :

– Ça va ?

– Oui, mais j'ai eu une grosse semaine. C'est quoi, ces papiers ? Des formulaires à signer ?

– Non, de la documentation sur le compost. Hugo, dont le père travaille à l'Éco-quartier, nous l'a distribuée aujourd'hui. Chez lui et chez plusieurs autres de ma classe, on recycle les déchets verts du jardin et de la cuisine. On devrait faire du compost, nous aussi.

Maman a pris les feuilles que je lui apportais et s'est mise à lire. Elle a froncé les sourcils. Puis, elle a commencé à rire. Moi, je ne voyais pas en quoi l'idée de tenir un compost était si comique. Astrid Vermeulen n'a pas l'habitude de se moquer des initiatives destinées à protéger l'environnement. Vexée, je m'apprêtais à m'en aller quand ma mère s'est calmée.

– Excuse-moi, Alice. Je n'ai plus d'énergie. Après le travail, ma journée et celle de Marc sont loin d'être finies. Sans compter les samedis et dimanches, où le nettoyage, le lavage, les courses et bien d'autres tâches nous attendent. Et puis, pour boucler le manuscrit de *Tofu tout fou !*, il me manque des informations essentielles. Je pourrais les obtenir auprès du grand spécialiste du tofu. Ce chercheur travaille à Nice, en France. Mais j'ai eu beau lui laisser des messages, il ne m'a pas encore répondu. Pour couronner le tout, ça fait trois jours que Zoé se réveille à nouveau vers 5 h du matin. Sa 14e dent s'apprête à sortir. Bref, je me demande comment je vais tenir le coup. Et toi, tu voudrais qu'on installe un bac de Vermi-compost ? Regarde ça !

Elle m'a mis la feuille sous le nez. J'en ai fait une lecture rapide.

Problèmes

SI DES VERS SORTENT DU BAC OU MEURENT :

Causes possibles	***À faire***
Vers dépaysés	Remettre les vers dans le bac.
Litière trop neuve	Exposer à la lumière.
Milieu trop acide	Dissoudre une cuillerée à thé de bicarbonate de soude dans un litre d'eau et en asperger la litière.
Manque d'humidité	Humecter la litière.
Manque de nourriture	Changer la litière ou ajouter de la nourriture.

SI DES ODEURS SE MANIFESTENT :

Trop de nourriture dans le fond	Ajouter de la litière sèche.
Nourriture mal enterrée	Espacer les repas. Mettre plus de litière sur la nourriture.
Nourriture non appropriée	Éviter le lait, les huiles et la viande.
Trop d'eau	Faire aérer le bac.

S'il y a présence d'insectes :
Etc., etc., etc.

– En théorie, a repris maman, je suis 100 % pro-compost. Mais ce soir, Biquette, ça me semble une montagne.

Elle s'est remise à rire nerveusement. Se levant brusquement, elle m'a serrée sur son cœur et s'est mise à sangloter.

– Bouuuuh, Bouwouwouwouwouuuh…

Je ne m'attendais pas à ce que ma documentation sur le compost provoque un drame émotionnel ! Ma mère s'est rassise sur le sofa. Je suis allée chercher la boîte de mouchoirs en papier pour éponger ses larmes. Je ne savais pas trop quoi faire d'autre pour l'aider. Tout à coup, une idée a surgi : j'allais lui lancer un défi. Un défi que j'espérais irrésistible.

Pendant qu'elle se mouchait, je lui ai dit :
– Je sais que tu es débordée, ma petite moumou, surtout depuis que mamie est partie. Mais, quand même, serais-tu capable de trouver *10* points positifs à la situation ?

Surprise, elle s'est tournée vers moi. Son visage s'est éclairé. Elle a dit :
– Tu as raison, Biquette. Je ne dois pas me laisser aller.

Et elle a commencé à énumérer :

Point + n° 1 : Je ne suis pas au chômage.
Point + n° 2 : J'adore mon travail.
Point + n° 3 : Mes collègues et mes clients me manquaient. C'est un vrai plaisir de les retrouver.
Point + n° 4 : Si je suis une mère très occupée, c'est parce que j'ai trois enfants merveilleux.
Point + n° 5 : J'ai aussi un homme merveilleux, qui prépare le meilleur pâté chinois du monde.
Point + n° 6 : Il pleut, et ce soir, je m'endormirai donc en écoutant la musique de la pluie.

Et ainsi de suite. Moumou avait mordu à l'hameçon. Elle en était déjà à *13* points positifs et je crois qu'elle aurait continué sur sa lancée si Caroline n'avait surgi dans la pièce en annonçant qu'elle mourait de faim.
– Moi aussi ! s'est écriée maman. Le temps de me laver les mains et j'arrive.

Bref, mon défi avait agi comme un électrochoc : moumou semblait remontée à bloc.

Après le souper, on a tous regardé un beau film de chevaliers et de troubadours (à part Zoé qui était déjà au dodo, bien sûr).

Samedi 25 septembre

Ce matin, Zouzou a filé jusqu'à 7 h 30. Papa s'en est occupé pour que maman puisse continuer à dormir. Lorsqu'elle a émergé de son sommeil vers 9 h, Caroline lui a « ordonné » :

– Retourne au dodo ! On a une surprise pour toi !

La surprise, c'était le petit déjeuner qu'on lui a servi au lit.

– Merci, chéri, Biquette et Ciboulette, vous êtes des amours !

– Tu vas te reposer, aujourd'hui, mon cœur ? lui a demandé papa.

Le visage de maman s'est rembruni :

– Impossible, je n'ai pas encore fini mon livre.

– *Tofu tout fou !* peut attendre.

– Je touche au but, a-t-elle expliqué à papa. J'ai tellement hâte de remettre mon manuscrit à la maison d'édition !

Après avoir pris sa douche, maman s'est dirigée vers le bureau. Elle n'en est sortie que pour le dîner. Après, elle y est retournée. Vers 15 heures, je suis allée lui porter un verre de boisson au soya. Elle était effondrée sur le fauteuil.

– C'est terrible..., a-t-elle gémi. Il y a quelques minutes, j'avais fini *Tofu tout fou !*. À part l'entrevue avec le spécialiste, mais tout le reste était prêt, relu et corrigé. À cet instant, j'ai dû faire une fausse manœuvre et l'écran est devenu noir.

– Tu as perdu ton travail de cet après-midi ?!
– Oui. Et le reste aussi, j'en ai peur.

Quoi, *Tofu tout fou !* s'était volatilisé ?!!! Tous ces plats au tofu qu'on s'est forcés à manger pour faire plaisir à maman, c'était pour rien ?
– Impossible ! Tu as certainement une sauvegarde sur une clé USB.

Ma mère a pris un air de chien battu.
– Je me dis toujours que je devrais en faire une, mais dans le feu de l'action, j'oublie.

« Tofu tout fou ! » en péril !

Papa est arrivé. Lorsqu'il a vu la tête de maman et la mienne, il nous a demandé :
– C'est quoi, cet air d'enterrement ?

On l'a mis au courant. Il s'est assis devant l'ordi et en moins de temps qu'il ne faut pour le dire, il était plongé dans les méandres de l'informatique. Maman et moi, on s'est retranchées dans le salon. Ce n'était plus le moment de lui parler de points positifs…

Trois minutes plus tard, poupou avait récupéré la version de *Tofu tout fou !* sauvegardée à 14 h 49. Fiouuuuuuu… Quand ma mère a constaté que les 127 pages de son manuscrit étaient bien là, elle s'est écriée :
– Chéri, tu es un preux chevalier du 21e siècle ! Tu m'as sauvé la vie ! Merci.

Et elle lui a sauté au cou. Son héros lui a remis une clé USB.
– Et voilà, gente dame ! Ne la perdez pas, car elle contient votre précieux manuscrit.

Dimanche 26 septembre

Jusqu'à ce matin, l'école secondaire était encore un concept très théorique pour moi. Mais aujourd'hui, c'était la Journée portes ouvertes au Collège Jean-Paquin. Durant la visite, j'ai croisé Marie-Ève, Jade, Éléonore et Stanley. J'ai aimé le labo photo, le labo de sciences, la cafétéria, le programme informatique avec un iPad, la bibliothèque tout vitrée avec vue sur la rivière des Prairies. C'est excitant de s'imaginer là-bas dans 11 mois. Mais à la fois, j'aurais peur de me perdre dans ces dédales de couloirs. Sans compter les examens d'admission qui auront lieu le mois prochain : tout ça me donne des papillons dans l'estomac, cher journal.

Après le dîner, maman a mis Zoé au lit. Elle est redescendue pour nous annoncer :
– Je vais faire une sieste !
– C'est bien la première fois, a constaté papa.
– C'est vrai, chéri. Mais il n'y a que les sots qui ne changent pas d'avis !

Poupou, qui tient à sa sieste du dimanche après-midi comme à la prunelle de ses yeux, a déclaré :
– Je te rejoins, Astrid.

Ce soir, maman a pris deux décisions :
• Demander à ses associées de travailler 4 jours par semaine plutôt que 5 ;

• S'inscrire au cours de yoga avec sa collègue Laura, le mardi, après le boulot.

Lundi 27 septembre

• Demande acceptée : moumou ne travaillera désormais plus le lundi.
• Elle commencera son yoga mardi de la semaine prochaine. Car, demain, Alex vient souper.

Bon, je te laisse, cher journal, je dois réviser ma grammaire en vue du contrôle.

20 h 11. Après avoir fini d'étudier, j'avais mis la musique de Lola Falbala pour me détendre. Mes parents sont venus border Caro. Moumou m'a dit :

– Alice, si tu veux continuer à écouter Loulou Charabia, mets tes écouteurs, s'il te plaît.

Et elle est sortie de ma chambre. Loulou Charabia, maintenant ! Pour déformer le nom de Lola Falbala, l'imagination de ma mère est sans limites. Le pire, c'est qu'elle ne le fait pas exprès. En passant, cher journal, du charabia, c'est quelque chose qu'on ne comprend pas. Mais moi, je saisis de mieux en mieux le sens des paroles de Lola Falbala. Alors qu'au cours d'anglais, je suis complètement bouchée (ou presque).

Mon vrai prof d'anglais = Lola Falbala !

Anglais… TILT ! Mon contrôle ! J'ai oublié de le montrer à mes parents ! Et il doit être signé pour demain. Maman est sous la douche. Je vais aller trouver papa. Oupsie…

20 h 34. Lorsque le paternel a aperçu ma note, il s'est exclamé : « 7/20 ! Ça devient un réel problème, l'anglais ! Écoute Alice, si d'ici un mois, je ne constate pas une nette amélioration, je demanderai à ton enseignante de te donner des cours de rattrapage. »

Horreur absolue ! J'ai promis à mon père de m'y mettre sérieusement. Sous sa signature, il a ajouté un petit mot destiné à la prof, comme quoi, chaque semaine, il révisera la nouvelle matière avec moi. Depuis le psychodrame du métro, j'ai encore plus peur de Cruella qu'avant. Que va-t-il m'arriver, à moi, pauvre petite élève sans défense… S'il le faut, je parlerai à mes parents.

Quoi ! Des cours supplémentaires avec Cruella ?! Non merci !

Mardi 28 septembre

Cruella n'a pas fait attention à moi pendant tout le cours. Pourvu que ça dure.

Oncle Alex est arrivé vers 18 h. On s'est assis à table, mais Zoé ne voulait pas rester dans sa chaise haute. Installée dans les bras de notre oncle, elle caressait son crâne rasé d'un air émerveillé. Après l'avoir fait rire aux éclats, Alex a commencé à nous raconter son voyage.

– Le pays Masaï se trouve en Afrique de l'Est, de part et d'autre de la frontière, entre le Kenya et la Tanzanie, entre les monts Kenya et Kilimandjaro.

Je l'ai interrompu.

– À propos, merci pour ta belle carte du Kilimandjaro, oncle Alex !

– Et pour ma carte aussi, a ajouté Caro.

– Ça me fait plaisir ! a répondu Alex avant de poursuivre. Les Masaï sont un peuple semi-nomade. Ils ont obtenu des gouvernements kenyan et tanzanien le droit de faire paître leurs troupeaux là où les pâturages sont bien verts. Ils n'ont donc pas à se préoccuper des frontières. Chaque fois qu'ils s'installent quelque part, ils construisent un village. Les cases sont faites de branchages recouverts d'un mélange de terre et de bouse. Les hommes érigent des barrières en buissons d'épines acérées. Ce système protège le troupeau des hyènes, des chacals et des léopards. Dans la savane vivent aussi des oiseaux, des éléphants, des girafes, des lions, des rhinocéros, des gnous, des zèbres, des antilopes, des phacochères et bien d'autres animaux. Cette faune attire des visiteurs du monde entier. Du coup, les touristes défilent dans certains villages. Ils y achètent des souvenirs et prennent les Masaï en photo. Entre traditions et modernité, le mode de vie de ces derniers est en train d'évoluer. C'était le sujet de mon reportage.

Oncle Alex nous a montré quelques-unes de ses (extraordinaires) photos sur son iPad. Wow ! Puis, Caro l'a invité à venir voir notre nouvelle chambre turquoise. Après l'avoir admirée, il a demandé ce que signifiaient les punaises épinglées sur ma carte du monde.

Je lui ai expliqué :

– Les rouges, ce sont les pays que tu as visités. Et les jaunes, ceux dans lesquels j'ai séjourné.

– La prochaine punaise rouge, tu la planteras en Inde, a déclaré mon oncle. Je partirai là-bas en décembre et j'y passerai deux mois. Je suivrai le cours du Gange.

– Qu'est-ce que c'est ? a demandé ma sœur.

– Un fleuve de près de 3 000 km de long. Ici, regarde.

Il l'a tracé du doigt sur le planisphère.

Le téléphone a sonné. C'était pour Caro. Elle est descendue. Mon oncle m'a questionnée :

– À propos, Alice, comment ça va, en 6e année ?

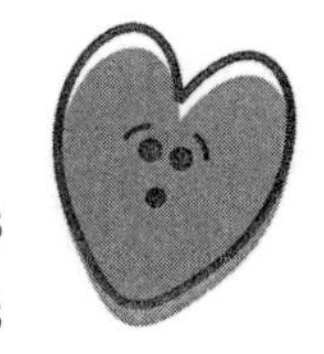

– Pas mal, sauf en anglais.

Puisqu'on était juste tous les deux (enfin, tous les trois avec Cannelle), je lui ai confié mes déboires avec Cruella.

– Même quand je fais mon possible, la prof a toujours une remarque négative à la bouche.

Et j'ai raconté la crise qu'elle avait piquée l'autre jour, sur le quai du métro. Oncle Alex n'en revenait pas.

– Dans ces conditions, ton cerveau associe « anglais » à « menace ». Afin de se protéger, il se ferme comme une huître et devient imperméable à l'apprentissage. Pour apprendre cette langue très utile, notamment quand on voyage, tu vas devoir changer d'attitude, ma chère petite nièce, et t'imaginer que tu ouvres la porte à l'anglais. Et le jour où tu auras un autre professeur, je parie que tu aimeras cette matière.

Mon oncle devait avoir raison : à force de me faire dire par Cruella que j'étais nulle, je me comportais comme tel. Pour me réconforter, il a ajouté :

– Tu ne dois supporter madame Fattal qu'une heure par semaine. Si elle était votre enseignante principale, tu l'aurais du lundi matin au vendredi après-midi.

Quel cauchemar ce serait, en effet ! Mais moi, j'ai surtout de la chance d'avoir un oncle comme lui. Dans ma tête s'est formée une image : Alex Aubry survolant la planète Terre, vêtu d'un tee-shirt avec un grand *S* jaune sur fond rouge, comme celui de Superman.

Comme il se levait pour partir, il a aperçu mes cahiers dans le bas de ma table de chevet.

– Tu continues à écrire ton journal ?

TILT !

– Oui, et heureusement que tu m'en parles, car j'aurais besoin de nouveaux cahiers.

– Tous ceux que je t'avais offerts sont déjà remplis ?!

– Le seul qui me reste est le rouge.

– Moi aussi, j'écris dans un cahier, n'a pu s'empêcher de dire Caroline qui était de retour.

– Je suis fier de vous, mes nièces ! Samedi, je vous amène à la papeterie.

J'ai proposé à mon oncle de payer mes cahiers avec mon argent de poche. Mais il a refusé. Il nous a assuré que ça lui faisait plaisir de nous fournir en carnets. J'ai hâte de choisir les couleurs des prochains tomes de mon journal !

Mercredi 29 septembre

Depuis le jour où j'avais visionné la première capsule Web des *Zarchinuls,* je n'étais plus allée sur leur site. Je me suis rattrapée ce soir avec papa : 3 nouvelles capsules plus hilarantes les unes que les autres. Avec *Les Zarchinuls,* plus on est de fous, plus on rit !

Hi, hi, hi !

Vendredi 1er octobre

Une surprise m'attendait dans la boîte aux lettres : une enveloppe avec des timbres du Liban et l'écriture de Karim ! Dedans, il y avait une photo de bord de mer. Une mer d'un bleu intense. WOW ! Et une lettre que j'ai dépliée, le cœur battant.

Chère Alice

J'étais super heureux de recevoir ton courrier ! Comment a été ta rentrée ? Es-tu dans la classe de madame Pescador ou as-tu eu la chance de garder monsieur Gauthier comme prof ? (Ça, ce serait 110 % cool !) Y a-t-il des nouveaux en 6e ? Comment vont Simon et Bohu ? Peux-tu m'envoyer leur adresse électronique, s'il te plaît ? Salue de ma part Marie-Ève, Africa, les 2 Catherine et les autres, et mentionne-leur que vous me manquez (à part Patrick & Gigi, mais bon, ne le leur dis pas).

Notre grand appartement se situe au 3e étage d'un immeuble. Au début, on « campait » chez nous au milieu de dizaines de boîtes en carton. Mes parents n'avaient pas le temps de cuisiner, mais la famille et nos nouveaux voisins nous apportaient des plats délicieux qu'on mangeait tous ensemble. On aurait dit que c'était la fête tous les jours ! Samedi, ma tante et mon oncle nous ont emmenés, ma sœur, mes cousins et moi, voir la suite de Cap sur la Voie lactée : Astéroïde (4055) Magellan. Si tu n'as pas encore vu ce film, je te le recommande. Dimanche, on s'est baladés en famille sur la corniche, une promenade qui longe la mer Méditerranée. J'ai pris une photo pour toi. Au Québec, ma crème glacée préférée est « érable et noix ». Mais ici, elle est blanche. En arabe, son nom est « achta » (en français, je ne sais pas comment s'appelle cette saveur). Depuis hier, l'ordi est branché. On pourra donc se parler par Skype. À bientôt, Alice !

Ton ami Karim

En bas de la page, il y avait son adresse *e-mail.* La lettre, je l'ai dissimulée dans le tiroir de ma table de chevet tandis que la photo de la mer, je l'ai posée à côté de celle de Grand-Cœur. Le cœur joyeux, je suis descendue dans le bureau pour écrire un courriel à Karim.

Un quart d'heure après l'avoir envoyé, j'ai vérifié s'il m'avait répondu. Eh oui !!! On a convenu de se parler lundi (j'ai congé pédagogique). Ma sœur, elle, sera chez son amie Nour.

Je te laisse, cher journal, car je vais essayer de décoller les timbres libanais pour les coller dans mon cahier.

Samedi 2 octobre

Comme promis, oncle Alex est venu nous chercher à bord de la même petite voiture qu'il avait empruntée mardi au service Communauto pour nous rendre visite. Quelle belle papeterie, sur la rue Saint-Denis ! Les seules couleurs de cahiers que je ne possédais pas encore dans cette collection (à part les cahiers grand format) étaient le bleu marine, le vert émeraude et le violet. J'ai demandé au vendeur s'il n'avait pas par hasard un cahier turquoise. Il m'a dit que le dernier avait été vendu il y a quelques jours à peine et que le fournisseur n'en avait plus en stock pour le moment. Dommage. Au moins, j'ai 3 superbes cahiers. ♥ ♥ ♥

Cet après-midi, je regardais les photos de Chick, le chihuahua de Lola Falbala, nouvellement mises en ligne sur son site, lorsque j'ai reçu ce courriel :

De : Lulu
À : Alice
Envoyé : 2 octobre
Objet : Un bonjour de Bruxelles

Salut, cousine.

Mamie vient de m'annoncer une super nouvelle. Pour mes 15 ans, elle m'emmène à Amsterdam ! On partira jeudi soir pour profiter du long week-end de congé.

J'espère que tu vas bien. Tu me manques ! On essaiera de se parler par Skype après mon retour de la Hollande.

À ++! Lulu

Dimanche 3 octobre

Mes parents et moi, on est allés visiter le Collège Marie-des-Neiges. Même si j'ai préféré l'autre école secondaire, papa m'a quand même inscrite pour les examens d'admission.

Dans 24 h exactement, je me trouverai face à Karim. J'ai TROP hâte ! Mais, à la fois, je me sens un peu intimidée. La dernière fois qu'on s'est vus, c'était à la fête de fin d'année chez monsieur Gauthier. Aura-t-il changé ?

Lundi 4 octobre

Maman aussi reste à la maison aujourd'hui… J'avais oublié que c'était le premier lundi où elle ne travaille pas. Zut de zut, et moi qui m'étais organisée pour être seule quand Karim appellerait… Je fermerai la porte du bureau.

10 h 07. Je n'ai pas dû le faire, finalement, car ma mère est partie à 9 h 20 pour conduire Caro chez Nour. Assise face à l'ordi, j'attendais. À 9 h 35, la sonnerie a retenti. C'était Karim. On avait tant de choses à se raconter ! Et c'était génial de se voir à l'écran. Il est toujours le même, en plus bronzé, avec des cheveux plus courts. D'accord, on dit que ce n'est pas la beauté qui compte le plus chez une personne, cher journal, mais je ne peux m'empêcher de te confier ce que je ressens : Karim Homsy est encore plus beau qu'avant ! On a beaucoup ri, aussi. Vive Skype !

J'avais à peine raccroché que maman est rentrée.

– Je file sous la douche, m'a-t-elle annoncé.

Moi, j'ai commencé à lire le blogue de Lola Falbala. Le téléphone a sonné. Je l'ai pris.

– C'est pour moi ? a crié maman d'en haut.

– Oui.

– De la part de qui ?

– C'est de la part de qui ? ai-je répété à l'homme.

– Thierry Bavouzet.

– Thierry Bavouzet. Je lui dis que tu le rappelleras ?

– Non, viens vite et passe-le-moi !

J'ai entrouvert la porte de la salle de bain. Moumou, qui se dépêchait d'enrouler la serviette de bain autour de sa tête, m'a arraché le téléphone des mains.

Elle s'est exclamée d'un ton étrangement jovial, vu la situation :

– *Bonjour, monsieur Bavouzet ! Comment allez-vous ?*

– …

– Nonnn, nonnn ! a protesté maman. Vous ne me dérangez pas le moins du monde !

Interloquée, j'ai vu ma mère, nue comme un ver et coiffée de son « turban » blanc, passer en trombe devant moi, le téléphone à la main. Elle est descendue et s'est enfermée dans le bureau. Zut, et moi qui étais à l'ordi…

Une demi-heure plus tard, moumou se trouvait toujours avec cet inconnu. Mon cerveau fonctionnait à plein régime. Qui c'était, ce monsieur Bavouzet ? Pourquoi était-elle si pressée de lui parler ? Et pourquoi la conversation s'éternisait-elle ? Ma mère avait-elle un amoureux ? Je veux dire, un autre amoureux que papa ?! Mais j'ai aussitôt rejeté cette idée dérangeante. Car si c'était le cas :

1. Elle ne le vouvoierait pas.

Alice mène l'enquête !

2. Elle serait plus discrète puisque moi, je suis là.

Fiouuu ! Mais alors quoi ? Je devais en avoir le cœur net !

Pour débarquer dans le bureau, il me fallait un motif. Je suis allée chercher le peignoir de maman. En effet, elle devait grelotter de froid sans ses vêtements. Ouvrant la porte, je suis entrée sur la pointe des pieds. Toujours au téléphone, ma mère écrivait sur un bloc-notes.

– Comme ça, a-t-elle dit à son interlocuteur, le tofu existe aussi sous forme séchée et fumée ?

J'ai déposé le peignoir sur ses épaules. Elle m'a fait un signe pour me remercier puis d'autres pour que je disparaisse de la pièce. J'ai refermé la porte. Au moins, j'avais résolu le mystère : moumou parlait tout simplement au grand spécialiste du tofu ! Celui-ci, plutôt que de répondre à ses messages et de lui proposer un rendez-vous téléphonique, avait appelé à l'improviste. Je connaissais trop bien Miss Tofu : pour rien au monde, elle n'aurait laissé passer cette occasion. Mais que penserait cet illustre professeur d'université s'il savait que la diététiste qui lui posait des tas de questions pour son futur livre était toute nue ! Hi, hi, c'était trop drôle !

À cet instant, mon sourire s'est figé. Un terrible **soupçon** m'a envahie. Je ne me souvenais plus si, après avoir discuté avec Karim, tout à l'heure, j'avais éteint la caméra numérique… Ce qui signifiait que si elle était encore allumée, monsieur Bavouzet voyait ma mère dans son plus simple appareil (et maintenant avec le peignoir sur ses épaules, mais quand même)!!! Distraite comme elle l'est et 200 % concentrée sur le tofu, Astrid Vermeulen n'aurait certainement pas remarqué, au-dessus de l'écran, le point rouge lumineux indiquant que la webcam est ouverte ! Horreur absolue ! J'ai entrouvert la porte du bureau pour vérifier. Fiouuuuu ! Elle était éteinte.

Pendant le repas du soir, maman nous a rappelé que son premier cours de yoga aurait lieu demain, après le travail.
– Je serai de retour à la maison vers 18 h 30. Peux-tu aller chercher Prunelle à la garderie et t'occuper du souper, Marc ?

J'ai proposé de ramener Zoé à la maison.
– D'accord, Alice, a dit papa. Et pour le souper, des crêpes, ça vous dirait ?
– Ouiii !

Affaire conclue.

Mardi 5 octobre

En revenant de l'école, Caro et moi, on est passées par la garderie. Notre petite sœur s'amusait à poursuivre son ami William à quatre pattes dans un tunnel en tissu jaune. Lorsqu'elle nous a aperçues, elle s'est écriée : « Ayïsss, Cayo ! » (Traduction : « Alice, Caro ! »), en nous tendant les bras. Trop mignon ! Elle fait partie du groupe des Explorateurs. Sur les casiers colorés, j'ai lu les noms des autres « explorateurs » : Émile, Louna, Archibald, Tristan, Juliette et Lili-Rose.

Sur la rue de Salm, un camion de déménagement était stationné devant la maison qui fait dos à la nôtre, côté jardin. (J'espère que tu me comprends, cher journal.) Nos nouveaux voisins étaient en train d'emménager.

On était à peine rentrées que papa est arrivé avec des œufs pour les crêpes ainsi qu'une petite boîte de colorants alimentaires.

– Pour faire des crêpes de toutes les couleurs ! a-t-il précisé.

Après avoir préparé la pâte avec Caro et papa, je l'ai versée dans quatre plats.

* Dans le premier, on a ajouté du colorant rouge.
* Dans le deuxième, du colorant vert.
* Dans le troisième, Caro a mélangé quelques gouttes de rouge et de bleu pour obtenir un violet du plus bel effet.
* Dans le dernier, j'ai mis six gouttes de jaune et trois de rouge pour un résultat orangé.
  Mon père a versé une louche de cette pâte-là dans la poêle. C'était parti !

Lorsque maman est rentrée, elle s'est exclamée :

– Mmm, ça sent bon ! Je meurs de faim.

– Mettons-nous à table ! a lancé papa en sortant une montagne de crêpes multicolores du four, où elles étaient conservées au chaud.

Astrid Vermeulen a déchanté. Elle n'avait aucune envie de crêpes roses ou vertes, mais bien de crêpes d'une couleur normale. Frustrée, elle s'est préparé une omelette. Les bénéfices de sa séance de yoga s'étaient envolés. Mais papa, Caro, Zoé, Cannelle et moi, on s'est régalés.

Mercredi 6 octobre

Devine qui a eu 12 ans aujourd'hui, cher journal ? Gigi Foster. Impossible de ne pas être au courant : elle s'en est vantée toute la journée.

Jeudi 7 octobre

Ce matin, pas question de se rendre à l'école à vélo avec ce rideau de pluie tout gris. Brrr… Je n'avais plus grand-chose de chaud à me mettre. Mon jeans et mon pantalon bleu sont trop petits. Maman a promis de nous amener samedi au centre commercial, Caroline et moi.

Cet après-midi, madame Robinson a commencé à éternuer. La saison des rhumes s'en vient. Autre signe que l'automne est arrivé pour de bon : en revenant de l'école, Caro m'a fait remarquer que les nains de jardin de madame Baldini avaient disparu de sa plate-bande. Elle a dû les ranger pour l'hiver.

Vendredi 8 octobre

Ce matin, le beau temps était de retour. Dans la cour d'école, l'érable m'a semblé plus merveilleux que jamais, avec ses feuilles rouges, orange et jaunes illuminées par le soleil. Et, chose extraordinaire, il était musical ! (L'arbre, pas le soleil.) Il était rempli de petits oiseaux qui pépiaient à qui mieux mieux. On aurait dit une réunion où chacun avait son mot à dire. Mon cœur est devenu nostalgique. C'était notre dernier automne à l'école, à mes amis et moi… En souvenir de cet arbre que j'aime tant, j'ai ramassé une belle feuille (pas trop grande, pour qu'elle rentre dans mon journal intime) et je l'ai glissée dans mon agenda. Je la mettrai à sécher pendant quelques jours entre des feuilles de papier journal sur lequel on pose un dictionnaire pour que la feuille reste à plat. Et je lui réserverai la dernière page de mon cahier.

Africa avait amené son iPod pour engranger des photos destinées à son scrapbook. On a pris la pose pendant la récré et on a bien rigolé. Notamment lorsqu'elle s'est étendue par terre, le temps de nous prendre en contre-plongée, Emma, Violette et moi. Elle nous a demandé de nous pencher vers elle et *clic*. Elle est super réussie, cette photo ! Afri nous l'enverra sur nos iPods (du moins à Violette et moi, car Emma n'en a pas, d'iPod).

11 Aujourd'hui, j'ai découvert un 11ᵉ point positif à madame Robinson ! Quand elle est malade, elle ne fait pas comme monsieur Gauthier. Lui, il venait malgré tout à l'école quitte à disperser ses microbes à la ronde en éternuant et à se montrer impatient. Notre prof de 6ᵉ, elle, reste sagement à la maison. Résultat,

on a passé une belle journée dans la classe de madame Pescador. Moumou avait raison : il faut connaître une personne avant de la juger. Il y a peu de temps, je pensais que je n'aurais pas d'atomes crochus avec Fanny Robinson. Maintenant, je l'aime bien. Je ne la qualifierais pas de cool, non.

Elle est exigeante, parfois sévère, et elle manque de patience avec Jonathan. Mais, en même temps, elle est intéressante, originale et dynamique. Et elle adore nous faire la lecture. Je la soupçonne d'ailleurs de nous distribuer des privilèges à la moindre occasion pour pouvoir s'installer au fond de la classe, ses lunettes rouges sur le nez et un roman à la main.

Le livre *Je m'appelle Élizabeth,* elle l'a terminé hier, deux minutes après que la cloche eut sonné la fin des cours (comme si elle avait voulu tourner la page avant de s'autoriser à tomber malade). Finalement, notre enseignante avait raison : l'histoire de Betty et de son fou caché dans la cabane au fond du jardin était palpitante.

19 h 47. Cher journal, la photo de tout à l'heure à la récré, je l'ai reçue et papa me l'a imprimée. J'ai l'air d'avoir un corps large, dessus. En fait, c'est dû à mon blouson qui était ouvert et dont les côtés se sont évasés quand je me suis penchée. (Mon réflexe « points positifs » s'est enclenché. En fait, si Gigi Foster me traite encore une fois de maigrichonne, je devrais brandir ce cliché et rétorquer : « Maigrichonne, moi ? Vraiment pas ! Regarde ! »)

Mais à part ça, je la trouve super cool, cette photo ! Je viens d'ailleurs de la coller sur ta couverture. J'ai ajouté un dessin de Cannelle et une émoticône autocollante. Le résultat est WOW !

Samedi 9 octobre

Au programme de la journée : achats de vêtements d'automne et d'hiver pour Caro et moi. Et de souliers pour Zoé.

Au déjeuner, maman a proposé :
– Avant de nous rendre au Carrefour Laval, si nous allions d'abord jeter un coup d'œil au *Big Bazar* ?
– Oh non ! me suis-je écriée. Tu ne vas quand même pas nous acheter du linge usagé !
– Ça n'engage à rien, a répondu moumou. Peut-être que vous trouveriez, l'une ou l'autre, un vêtement de seconde main à votre goût.

C'est ce qui est arrivé : j'ai craqué pour un tee-shirt noir à longues manches avec la tour Eiffel en minuscules brillants (2 $). Et ma sœur pour un jeans vraiment cool à 3 $. Dommage qu'il n'y avait pas ma taille. Au centre commercial, j'aurais voulu avoir un jeans noir, mais moumou n'était pas d'accord. Elle a dit : « pas avant le secondaire ». Pfff… Par contre, elle m'en a offert deux autres, un jeans

« normal », bleu foncé, et un *skinny* jeans bleu pâle délavé. Il est vraiment beau ! J'ai aussi eu :

* un chandail bleu marine à longues manches couvert de signes de la paix de toutes les couleurs (fluo);
* un chandail de laine blanc cassé, avec un col roulé, super douillet ;
* une jupe rouge en velours côtelé, courte ;
* des collants blanc cassé ;
* des bottillons en cuir rouge (Zoé et moi, on va être assorties, car elle est ressortie du magasin de chaussures avec, à ses pieds, des bottines rouges dont elle est hyper fière !);
* un habit de neige. J'ai hésité entre un vert et blanc très beau et un argenté et j'ai finalement choisi l'argenté, en pensant que Lola Falbala craquerait pour celui-là.

En revenant à la maison, j'ai discuté avec Lulu sur Skype. Je lui ai souhaité un bon anniversaire. En fait, c'est hier qu'elle a eu 15 ans. Mais avec le décalage horaire, c'est plus facile de lui parler le week-end. Ma cousine a adoré la ville d'Amsterdam. Mamie l'a amenée manger dans un resto indonésien, elles ont fait du vélo le long des canaux et elles ont découvert des friperies géniales. Et aussi, elles ont visité le musée du peintre Vincent Van Gogh ainsi que la maison d'Anne Franck. Lulu m'a expliqué que cette jeune fille tenait comme moi son journal intime. Sauf qu'elle, c'était pendant la Seconde

Guerre mondiale. Comme sa famille était juive, ils ont dû rester cachés. Malheureusement, au bout de deux ans, quelqu'un les a trahis. Les Franck ont été envoyés dans un camp de concentration, en Allemagne. Anne y est morte de maladie, parce que les conditions de vie étaient épouvantables. Quelle horreur ! Je hais les guerres, cher journal.

Avant de raccrocher, Lulu m'a dit :
– Merci d'avoir conseillé à mamie de nous offrir les premiers tomes des *Zarchinuls*. Je les ai lus d'une traite. Maman aussi. On a tellement ri qu'elle m'a assuré qu'on allait vivre longtemps. Elle a une théorie selon laquelle plus on rit, plus on vit vieux. Grâce à toi et aux *Zarchinuls,* ma chère, on vivra centenaires !
– Et si, en plus, vous regardez les capsules sur le site des *Zarchinuls,* vous avez des chances de devenir immortelles ! ai-je renchéri sur le même ton humoristique que ma cousine.

Dimanche 10 octobre

Cet après-midi, j'ai rejoint Marie-Ève, Africa, Kelly-Ann, Violette, Simon, Bohu et Catherine Provencher au cinéma du Marché Central. On est allés voir *Astéroïde (4055) Magellan*. Quel plaisir de retrouver le commandant Jordan Cooper (Kevin Esposito) aux commandes de son vaisseau spatial ! Un peu avant la fin du film, j'ai remarqué que Simon et Marie-Ève se tenaient par la main. En sortant

de la salle, ils s'étaient lâchés et faisaient semblant de rien. Mais ma meilleure amie avait des étoiles plein les yeux. J'étais heureuse pour eux.

Dans la foule devant nous, Catherine a repéré monsieur Gauthier. Lui qui est captivé par l'Univers, ça ne m'étonne pas qu'il apprécie ces films dont l'action se déroule dans l'espace. Il était trop loin pour qu'on puisse aller le saluer. Mais juste avant qu'il ne franchisse la porte, j'ai cru voir la silhouette de madame Duval.

J'en ai fait part aux autres.

– Ça fait bizarre d'imaginer des profs qui se voient en dehors de l'école, ai-je ajouté.

– Comme ils s'entendent bien, ils sont peut-être devenus amis, a commenté Africa.

– Ou ils s'aiment, a déclaré Marie-Ève.

Plus terre à terre, Bohu a proposé une autre explication :

– Ils se sont peut-être rencontrés par hasard au cinéma.

– Es-tu sûre, Alice, qu'il s'agissait de notre prof d'éduc ? m'a demandé Violette. Avait-elle les cheveux orange ?

– En fait, la jeune femme qui marchait à ses côtés portait un béret. Je n'ai pas vu ses cheveux.

– Et puis, a conclu Kelly-Ann, Kim Duval a déjà un amoureux. Il l'attend parfois en auto à la sortie de l'école.

Elle a raison. Moi aussi, je l'ai déjà vu.

Papa est venu me chercher. À la maison, maman et Zoé, assises à terre dans le salon, s'amusaient à faire tomber une tour de rouleaux de papier toilette. Moumou nous a annoncé :

– Mon manuscrit est fini !

– Félicitations, mon cœur ! a dit papa en l'embrassant.

Il semblait sincèrement heureux, mais aussi soulagé. Finie, la période d'essai sur nous, les cobayes du tofu.

– Bravo, maman ! lui ai-je dit à mon tour. Tu dois être contente.

– D'une part, oui, bien entendu, a-t-elle répondu. Je n'aurais pas tenu longtemps avec un horaire si chargé. Mais d'autre part…

Elle a pris un air rêveur.

– C'est un peu difficile de voir cette belle aventure se terminer. J'aurais aimé pousser ma recherche plus loin. Sur les origines du tofu, par exemple. Sur son histoire à travers les siècles et les cultures, les façons de le fabriquer et de l'utiliser. Personne n'a encore réalisé ce travail colossal.

Non, assurément, personne n'a jamais eu une idée aussi farfelue ! Dans un monde idéal, où Astrid Vermeulen aurait tout le temps à consacrer à son projet, elle deviendrait l'auteure de *La grande encyclopédie du tofu* en 24 CD. En collaboration avec le Professeur Bavouzet. L'œuvre d'une vie !

Maman a poursuivi :

– J'ai eu une idée.

Aïe… Le sourire de papa s'est décomposé.

– J'ai imaginé un livre de recettes à base de tofu pour les bébés.

« Oh non, ai-je pensé. C'est une véritable obsession ! »

– Zoé est arrivée à l'âge où elle peut commencer à en manger. Je compte tester mes recettes sur elle.

Au moins, ma mère est sincère. J'ai jeté un œil à Zouzou qui, inconsciente de ce qui se tramait, faisait rouler un rouleau de papier toilette devant elle et courait après à quatre pattes. La pauvre ! Sa trêve aura été de courte durée. J'imagine d'ici la recette épinard-tofu que maman ne manquera pas de lui concocter…

Bienvenue au merveilleux royaume du tofu, petite sœur !

Cette semaine, madame Robinson nous a fait une leçon sur les virelangues. Ce sont des phrases à dire vite et sans se tromper. Comme :

* « Les chaussettes de l'archi-duchesse sont-elles sèches, archi-sèches. »
* « Combien sont ces six saucissons-ci ? Ces six saucissons-ci sont six sous. »
* « Tonton, ton thé t'a-t-il ôté ta toux ? »
* « Doit-on dire : seize chaises sèches, ou bien seize sèches chaises ? » (Ultra-difficile ! Je te mets au défi, cher journal, de le répéter 3 x de suite !)

On a beaucoup ri, en classe. Eh bien, moi, ce soir, ça m'a inspirée :

* « Ton tofu t'a-t-il rendue toute folle ? »

Papa semblait rassuré. N'étant plus un bébé, il allait échapper à la seconde vague de recettes. Moi, j'ai repensé au mot « aventure ». D'après moumou, la rédaction de son livre sur le tofu avait été une « aventure ». Tandis que j'imaginais un nouveau film avec Kevin Esposito (*Les aventures intersidérales de Toufou le tofu*), Zoé s'est levée en se tenant au sofa.

– Tu viens voir papa ? lui a demandé l'homme de la famille en lui tendant les bras.

– Non ! lui a-t-elle répondu avec un sourire canaille. (C'est la première fois qu'elle dit « non ! ».)

Bien campée sur ses nouvelles bottines, elle s'est tournée vers moi avant de lâcher le sofa. Je l'ai encouragée :

– Viens, Zouzou !

Elle a hésité un instant avant de s'élancer. Retenant mon souffle, j'ai compté ses pas tout bas : 1, 2, 3, 4... Mais Cannelle, se dirigeant vers elle, l'a fait tomber. Philosophe, Zoé a dit :

– BOUM !

Zut ! Ma chienne, n'étant pas habituée à voir notre bébé chéri se déplacer sur deux pattes, avait sans doute voulu la « sauver ». La bonne Cannelle ! Je l'imagine en héroïne d'un film d'aventure comique, celui-là, dans lequel, en cherchant à protéger les membres de sa famille, elle provoquerait des tas de gaffes !

Mais l'heure n'était pas à la rêverie. Zoé s'était relevée, cette fois sans appui. Papa tenait Cannelle contre lui. Ma petite sœur a fait les cinq pas qui la séparaient de moi et s'est jetée dans mes bras. Quel exploit ! Zoé affichait le même sourire vainqueur que les championnes olympiques montant sur la plus haute marche du podium, la médaille d'or autour du cou. Papa a appelé Caroline qui regardait un film au sous-sol :

– Viens voir ça, le Bichon *marche* !

On a entouré notre mini-vedette. On l'a félicitée. Elle souriait de toutes ses **14** dents ! À cet instant, maman a filé à la cuisine. Elle a monté le son de la radio qui était restée ouverte et est revenue parmi nous, une banane à la main. La tenant comme un micro, elle a entonné le refrain avec le chanteur :

Non mais laissez-moi, non mais laissez-moi,
Manger ma banane.

Je me suis exclamée :

– Hein, c'est une *vraie* chanson ?! Je pensais que tu l'avais inventée, l'autre jour.

– Non, elle est de Philippe Katerine, m'a-t-elle soufflé avant de reprendre :

Non mais laissez-moi, non mais laissez-moi,
Manger ma banane...

On a dansé tous les six au rythme de *La banane* (Zouzou dans les bras de papa et Cannelle qui, enchantée par la tournure des événements, sautait de l'un à l'autre en aboyant joyeusement). Madame Baldini a raison, cher journal :

La vie est belle !

Catalogage avant publication de Bibliothèque et Archives nationales du Québec et Bibliothèque et Archives Canada

Louis, Sylvie

Le journal d'Alice
Sommaire : t. 6. Bienvenue en 6e B !
Pour les jeunes de 9 ans et plus.

ISBN 978-2-89686-441-6 (v. 6)

I. Titre. II. Titre : Bienvenue en 6e B !

PS8623.O887J68 2010 jC843'.6 C2009-941002-8
PS9623.O887J68 2010

Direction littéraire et artistique : Agnès Huguet
Révision et correction : Danielle Patenaude
Conception graphique : Nancy Jacques
Conception graphique de la couverture : Dominique Simard, Nancy Jacques

Dépôts légaux : 1er trimestre 2013
Bibliothèque et Archives nationales du Québec
Bibliothèque et Archives Canada

Dominique et compagnie
300, rue Arran, Saint-Lambert (Québec) J4R 1K5
Téléphone : 514 875-0327
Télécopieur : 450 672-5448
Courriel : dominiqueetcompagnie@editionsheritage.com
www.dominiqueetcompagnie.com

Imprimé au Canada

Nous reconnaissons l'aide financière du gouvernement du Canada par l'entremise du Fonds du livre du Canada et par le Conseil des Arts du Canada.

Nous reconnaissons l'aide financière du gouvernement du Québec par l'entremise du Programme de crédit d'impôt – SODEC – Programme d'aide à l'édition de livres.

Remerciements de l'auteure
La banane, écrite et interprétée par Philippe Katerine.
Attention, mesdames et messieurs, écrite par Pierre Delanoë et interprétée par Michel Fugain.
La fête, écrite par Maurice Vidalin et interprétée par Michel Fugain.
Les passages sur les allergies alimentaires ont été relus par Marie-Josée Bettez (www.dejouerlesallergies.com).
Le passage concernant les problèmes courants du vermicompostage et leurs solutions est extrait d'une circulaire d'information portant sur le sujet, distribuée par l'éco-quartier Ahunstic-Cartierville.
Le dessin de Violette p 43 est réalisé par Charlotte Tardif.

Achevé d'imprimer en mars 2013 sur les presses de Payette & Simms à Saint-Lambert (Québec)